univers/12

Éditions J'ai Lu

Le congrès des créatures; L'agonie dans le jardin (traduits par France-Marie Watkins).
La machine à sauver la musique; Ghur R'hut Urr; Odeur de seize ans, odeur de vanille (traduits par Michel Deutsch).
Fille et robot avec des fleurs (traduit par Iawa Tate); *Fun city dans Ba'dan* (traduit par Mary Beach).

sommaire   mars 1978

éditorial

Pour la seconde année consécutive la ville de Metz a accueilli un mini-festival de science-fiction. Je dis « mini » car, dans une telle manifestation, le nombre des fans venus admirer leurs idoles est supposé être supérieur à celui des professionnels. Là, on comptait facilement trois pros pour un malheureux amateur. Certes, il y avait des vedettes américaines : Ellison, Sheckley, Harrison et surtout Philip K. Dick, mais celui-ci acheva de consterner la maigre assistance en prononçant un laïus mystico-philosophique qui n'avait aucun rapport avec la S-F.

Est-ce à dire que ce Festival de Metz marque la fin de l'ère des conventions, commencée il y a peu à Limoges dans une amicale pagaille ? J'avoue que je l'espère. Il semble évident que les Français prennent beaucoup trop au sérieux ce genre de rencontres dont le rôle, aux U. S. A., est essentiellement ludique et en aucun cas culturel. Chez nous, hélas, il en va tout autrement ; on veut faire sérieux à tout prix. Par exemple en alignant des tables rondes d'un ennui mortel, où chaque participant semble avoir une seule règle de conduite : ne rien dire mais le plus longuement possible ! Tout cela m'apparaît profondément dérisoire et inutile.

A ce qu'on raconte, une nouvelle convention doit être organisée prochainement par Pierre Versins à Yverdon. Je pense que Versins serait grandi aux yeux de tous s'il avait le courage de l'annuler.

Jacques Sadoul

terminus : nos étoiles.

Plein de bestioles dans ce numéro, c'est un hasard mais les hasards d'Univers sont toujours un peu truqués. Voici nos stars :

— LAFFERTY, le dingue des dingues, avec sa foire aux bestiaux d'un genre assez spécial, le tout mêlé de mythologie comme toujours.

— DICK, avec ce texte assez ahurissant pour 1953, où l'on constate une certaine parenté avec ce que faisait Vian à la même date, et aussi cette façon qui n'appartient qu'à lui de pousser une idée jusqu'au bout, même la plus absurde.

— Robert F. YOUNG, un vieux de la vieille, qui s'est amusé à découper les journaux et les livres comme un Burroughs. Marrant.

— BURROUGHS justement, avec cette vision télé-far-west-BD-tout ce que vous voudrez, c'est fou, c'est la claque totale. Entrez dans Fun City, vous n'êtes pas prêt d'en ressortir.

— Ted WHITE, mal connu chez nous, nous offre ses fantasmes inassouvissables. C'est pas agréable de vieillir, ah la la.

— ALDISS, dans un texte sorti de New Worlds, où il parle de lui, des autres, de la vie. Un écrivain, quoi.

— La 12234e version de l'histoire du Christ, mais celle-là ne la ratez pas, elle est assez culottée. Auteur inconnu en France : Thomas MONTELEONE, secrétaire de l'Association des Écrivains de S-F Américains, étonnant. Ce qui est bizarre c'est que j'ai personnellement écrit une histoire assez proche (y a même l'idée du cordon ombilical), dans Dédale à la même époque, reprise dans un livre bien connu de nos lecteurs fidèles.

— Un texte alimentaire de Dominique BLATTLIN, qui sort enfin du fantastique un peu coinçant où il s'empêtrait pour faire de la S-F dingue. On n'ose plus acheter une boîte dans un super-marché une fois qu'on s'est fait prendre par ce texte.

— René DURAND, je l'adore. Jusqu'ici il faisait d'excellents textes, et je les lui refusais parce que je savais qu'il allait en faire un génial et je ne voulais pas le louper. C'est fait, je l'ai. Quelle idée, nom d'un Gosseyn ! Quand on pense que des ragnagnas, dans Opus, Europe, Fiction, Métal Hurlant ou quelques fanzines, ne ratent pas une occasion de gueuler contre la nouvelle S-F française, on se demande ce qu'ils attendent pour faire une serait-ce qu'aussi bien eux-mêmes. Ça n'aurait pas dépareillé dans Dangerous Visions. Suivez Durand, c'est le meilleur d'entre nous pour le moment.

— LESUEUR : port-folio animalier. Pauvres bêtes !

— Les râleurs maintenant : GUIOT avec son texte de Mouvances, une bonne revue trop confidentielle, et cette vision de la S-F méritait d'être plus connue. Si Guiot arrêtait de raconter n'importe quoi une fois sur deux pour ne publier que ce qu'il fait de bien, il serait le meilleur critique du moment. Quant à DOUAY et GIULIANI, voici la suite de leur papier d'Europe spécial S-F (1). On notera que je le publie pour la polémique, mais qu'il reflète l'exact contraire de ce que je pense, ou presque (je suis sympa quand même !).

J'ai déjà répondu à ces gens et aux autres ragnagnas cités plus haut, une fois par avance dans Alerte ! no 1, un peu plus fort dans Alerte ! no 2, mais nous ne sommes qu'au début du débat. Résumons : il y a des arguments pas faux que je reprends à mon compte, sur le pessimisme, la tristesse, et le socialisme flippant des jeunes auteurs, bien expliqués par Klein (Malaise dans la S-F) et Douay. Il faut faire remarquer

---

(1) Quelle équipe quand même : un socialiste et un trotskyste ensemble pour dénigrer cette « nouvelle S-F française » ! Faut-il qu'elle soit dangereuse et subversive !

que ni Douay ni Klein n'ont fait mieux dans ce domaine. Il y a aussi le parallèle nouvelle S-F/nouveaux philosophes, mais qui se retourne contre ses détracteurs : critique de droite accusant de droitisme ce qui est à sa gauche, décidément le modèle chinois n'a pas fini de frapper. Conflit de générations aussi : ceux qui ont 30-40 ans n'aiment pas trop le succès de ceux qui en ont 20-30 avant qu'eux-mêmes ne soient assez connus (oh là ! à la queue pour le partage du gâteau !). Il y a aussi l'argument de l'origine sociale des jeunes auteurs, la « classe moyenne » dont parlent justement ceux qui ont des origines plutôt hautes (ne faisons pas de délation mais nous n'avons pas de leçons à recevoir d'un certain nombre de nos bernards henry-lévys galactiques). Un petit séjour dans les poubelles de l'histoire les aidera peut-être à comprendre un peu ceux qu'ils méprisent, et je ne serais pas gêné personnellement d'appartenir aux « classes moyennes », qui sont la majorité du peuple. Le mépris des petits ou grands bourgeois de la S-F, on s'en fiche.

Pour ce qui est du pessimisme, finalement, Durand ou Vila sont nettement plus optimistes que leurs détracteurs. Si l'optimisme consiste à présenter un modèle de société socialiste qui marche, je préfère nettement un pessimisme kafkaïen à la béatitude devant Helmut Schmidt ou Mario Soarès, et Planète Socialiste a remarquablement précédé la réalité de la déconfiture de la gauche française. Et puis cette accusation de pessimisme ressemble trop au reproche habituel des écrivains officiels des pays justement « socialistes » pour qu'elle ne nous paraisse pas suspecte, l'optimisme obligatoire, on sait ce que ça donne.

Enfin ce malaise chez les auteurs de malaises, en dehors des conflits de personnes, est suspect sur un autre point : cette hargne serait saine si elle était tous azimuts. Manque de chance, elle ne s'exerce que vis-à-vis des écrivains remuants, dérangeants, non-conformes, les empêcheurs de science-fictionner en ronron, ceux qui veulent faire éclater le ghetto S-F, qui la mélangent avec autre chose. Comprendre ce que ces gens veulent démolir, c'est comprendre ce qu'ils veulent défendre, quand ils ne l'avouent pas : dans Fiction, appel suppliant aux anciens lecteurs pour qu'ils ne lisent plus « politique » mais la bonne vieille évasion dont on sait ce qu'elle camoufle idéologiquement, *la nostalgie pleurnicharde qui conduit à applaudir* Star Wars *au nom de ses 12 ans envolés et de renoncer à toute attitude critique. En fait, cette critique de résignation est due au fait que, ni très jeunes, ni très « S-F » (on reduplique fort), ni très français (on est resté à la vieille idée que toute S-F non américaine est impossible), ce vocable les gêne. Ce qui fait la force de la jeune S-F française, c'est qu'elle n'a pas besoin du vocable pour exister. On est jeune, ouais, même si nous avons parfois 40 ans, on est français par hasard, mais la S-F américaine ne nous impressionne pas au point de l'imiter servilement, on est S-F mais sans être maniaque de ça, c'est une enveloppe facile. On est de toutes façons en train de faire quelque chose qui ne fait que commencer, et vous n'avez pas fini de hurler contre nos gros pieds qui se posent dans votre plat.*

D'ailleurs, dans mon sottisier, je vous adjoins, chers nigauds (Denis Guiot, deux nigauds, comme disait la comtesse de Ségur), quelqu'un que vous devriez embaucher dans votre petite équipe de râleurs, un certain Jean-Pierre Soisson, président ou secrétaire du parti qui nous dirige : « La Science-fiction n'est pas un bon modèle pour la politique » (Radio-scopie, *27 octobre 1977, sur France-Inter).*

Pendant ces polémiques un peu minables et ces règlements de comptes, d'autres auteurs de S-F subversifs et dérangeants ont des ennuis avec les polices de leurs pays. Pour ne citer que l'auteur du meilleur livre de S-F paru cette année, Alexandre Zinoviev (Les hauteurs béantes, *Ed. L'âge d'homme), signalons qu'il a perdu après cette publication tout emploi, tout diplôme (il est philosophe et logicien mondialement connu), il a été exclu du parti communiste russe, interrogé par le KGB, empêché d'aller à l'étranger dans les congrès scientifiques, en attendant mieux. Curieusement, seuls les représentants de la « nouvelle S-F française », qui comme chacun sait est une émanation de la droite la plus réactionnaire, s'en sont souciés et lui ont prodigué leur solidarité totale, comme à tout écrivain empêché de parler où que ce soit dans le monde. Nos lecteurs ont donc déjà jugé qui sont les hypocrites, qui sont ceux dont les idées politiques et littéraires sont claires. L'histoire aussi.*

Yves FREMION

PS : *Dans mon dernier éditorial, je m'étais fendu d'un calembour pas triste sur Curval, qui disait : « l'homard bourre ». Pas très futé bien sûr, mais il est devenu « le homard bourrée » (!) par la grâce d'un correcteur zélé. Fallait le dire, au prix où les cures valent, il faut ruer lent, comme dit Steiner.*

le congrès des créatures

par R. A. LAFFERTY

1

La plupart des animaux comprennent leurs rôles mais l'homme, par contraste, semble troublé par un message dont, on le constate souvent, il ne peut très bien se souvenir, ou qu'il a mal interprété.

Loren Eiseley, *The Unexpected Universe*

Un anarchiste aux arbres ébouriffés,
Une grande lueur rouge qui vole,
Un cerf cabré, une brise vagabonde,
Une fille aux yeux de réalité.

Eco-Log

— Votre anarchiste a dévasté ma pelouse, dit Mrs Bagby à Barnaby Sheen, alors que je me promenais avec lui un matin. Elle a l'air si minable, tout à coup, que je renonce. Je la tonds et je la soigne, mais ça ne sert à rien. Et mes arbres ! Regardez mes arbres !

— Je regarde vos arbres, répondit Barnaby. Ils me semblent effectivement un peu plus vivaces que dans le temps, ce qui me plaît. Mais de quel anarchiste parlez-vous ?

— Cet anarchiste que vous avez chez vous et qui se promène partout. Je ne sais pas si c'est un singe ou un homme.

— Ah ! C'est un jeune garçon, lui dit Barnaby. Je crois

qu'il sera un homme quand il aura grandi, encore que certains individus de son espèce deviennent des singes; les implications théologiques de cela me déroutent. Mais pourquoi le traitez-vous d'anarchiste?

— Parce qu'il regarde mon gazon et le rend malade.

— Il me semble exceptionnellement vigoureux, protesta Barnaby.

— Eh bien, il est devenu sauvage, voilà tout! Il y a tant de choses dans ce quartier qui ont l'air différentes maintenant, après...

— ...après qu'il les a regardées? Oui, je sais, Mrs Bagby. Ou plutôt je ne sais pas; je ne le comprends pas très bien moi-même. J'interroge Austro à ce sujet et il se contente de sourire. Il commence à dire quelques mots à présent, mais il ne va pas trouver de mots pour un sujet aussi ontologique que celui-ci. Je crois bien que je ne vais pas les trouver non plus.

— Eh bien débarrassez-vous de lui, Mr Sheen, déclara Mrs Bagby. Ce quartier n'est pas un jardin zoologique.

— Il devrait l'être, Mrs Bagby, répliqua gravement Barnaby. Le monde entier devrait être un jardin zoologique; c'est-à-dire un jardin vivant et omni-espèces. Jadis il l'était, je crois. C'est une erreur de penser que le premier jardin était petit. Il était universel. Il *était* le monde. Débarrassez-vous de votre mari et de vos enfants, Mrs Bagby. Alors seulement je me débarrasserai d'Austro, de Loretta et de Mary Mondo. Ils sont *ma* famille. Et Austro n'est pas un anarchiste. C'est vous qui l'êtes.

Nous nous éloignâmes, sachant qu'elle était furieuse, et le regrettant. Et la pelouse et les arbres avaient réellement l'air plus ébouriffés et vivants que par le passé.

(Austro, le valet de chambre et barman de Barnaby Sheen, était du genre australopithèque, c'est-à-dire un singe, ou un homme-singe, ou un homme, celui du milieu étant impossible. On supposait l'espèce disparue depuis longtemps, mais Austro prouvait que non.)

(Loretta Sheen était une poupée grandeur nature bourrée de sciure; Barnaby affirmait que cet objet était le corps non-mort de sa vraie fille Loretta. Nous avions tous bien connu

Barnaby, toute notre vie, et pourtant nous ne pouvions nous rappeler s'il avait eu une vraie fille ou non.)

(Mary Mondo était un fantôme, la schizo-personalité d'une fille nommée Violet Lonsdale, morte depuis longtemps. Mais Mary Mondo n'était pas morte.)

Ces trois-là ont été expliqués en d'autres lieux et d'autres temps, mais ils doivent parfois être expliqués de nouveau. Ils exigent beaucoup d'explications.

Barnaby contemplait un mouvement singulier dans le petit ravin boisé derrière sa maison. Nous le vîmes alors, au milieu de ces petits saules et presque caché. Mais si c'était ce que nous pensions, il était un peu trop gros.

— Austro veut organiser une réunion de différentes sortes de gens, Mr Sheen, dit soudain Chiara Benedetti.

(Ce n'était pas elle, le mouvement dans le petit bois; elle avait surgi d'une autre direction, ou bien elle s'était simplement matérialisée là.)

— Certainement, certainement, Chiara, dit Barnaby. Ma maison est celle d'Austro. Il peut y inviter qui il veut. Mais pourquoi te l'a-t-il demandé, à toi et non à moi?

— Il ne sait pas comment vous demander certaines choses, répondit-elle. Et certaines de ces personnes, eh bien, ce ne sont pas tout à fait des personnes.

(Chiara avait, oh, disons entre dix et quinze ans : qui peut dire l'âge d'une fille? Elle était un peu plus jeune que l'âge maintenant permanent où s'étaient arrêtées Loretta Sheen et Mary Mondo. Elle n'avait pas été assez âgée pour suivre le cours de Psychologie Participante d'Edmond Weakfish, ce cours qui avait coûté à Loretta, Mary-Violet et plusieurs autres leur vie normale.)

— Chiara, nous venons de surprendre un mouvement dans le ravin, reprit Barnaby. Je crois qu'il y a un cerf là-dedans. C'est curieux qu'il soit venu en ville alors que les bois et les prés sont encore si verdoyants. Chiara, cette brise a quelque chose de vagabond.

A vrai dire, ce ravin n'était qu'un bout de prairie et de bois à l'intérieur de la ville. Barnaby Sheen possédait un peu plus d'un hectare. Cris Benedetti, le père de Chiara, avait une propriété à peu près égale, mitoyenne, et le ravin boisé traversait leurs terres à tous deux.

— Oui, c'est un cerf, déclara Chiara. Il y a aussi un bison là-dedans.

— Non, Chiara, tu dis n'importe quoi, réprimanda Barnaby.

— Oui, mais en le disant, ça devient vrai. Le dire et le voir. Comment pensez-vous que ce cerf soit arrivé là? Ce sont certaines des personnes qui sont venues à la réunion d'Austro. Elle durera trois ou quatre jours. Il vous faudra les loger tous, et ce ne sera pas facile.

— Eh bien, ce sera difficile, Chiara, mais je ferai de mon mieux et toi et d'autres vous m'aiderez. Ah, Mrs Bagby dit qu'Austro dévaste sa pelouse et ses arbres, qu'il les ébouriffe.

— Elle disait que je leur faisais la même chose, Mr Sheen. Je suppose que c'était vrai, mais je ne le faisais pas aussi bien qu'Austro. Elle disait que je leur faisais peur rien qu'en les regardant. Elle disait que je les faisais ressembler à de l'herbe et des arbres peints par Rossetti, pas à du vrai gazon ni à de vrais arbres. Et c'est vrai. J'ai des yeux de réalité.

— Chiara, Rossetti comprenait mieux la réalité que Mrs Bagby, murmura Barnaby. Et toi, je crois que tu peux réellement modifier avec ta vision et ton sentiment. Mais tu ne pourrais pas transformer un égout en ruisseau limpide.

L'accusation était vraie pour ce qui était du ravin boisé, qu'elle le fût ou non pour le jardin de Mrs Bagby. Le ravin était bien comme une peinture de Rossetti. Et c'était Chiara qui avait causé cela en s'y promenant et en le contemplant de ses yeux bleu-noir jusqu'à ce qu'il fût impossible à toute autre personne de le voir autrement qu'elle l'avait vu.

— Si les plantes réagissent à la sympathie et à la vision, pourquoi pas un égout? demandai-je.

— Ah, Laff, on n'a guère de sympathie pour les égouts, répondit Barnaby, mais il est vrai cependant que le... le ruisseau n'est pas autre chose qu'un égout quand il pénètre dans le bois, et qu'il devient limpide comme un ruisseau de Rossetti à sa sortie. Chiara, tu vois cette zébrure voletant entre les arbres et les buissons. Elle suit les ombres bleues et apparaît derrière les arbres si prestement qu'on la voit à peine. Mais c'est un oiseau cardinal et il est gros comme un dindon.

— Oui, c'est le cardinal roi, déclara Chiara comme si elle savait tout de lui. C'est aussi une des personnes qui doivent venir à la réunion d'Austro. Et si vous le trouvez gros pour un cardinal, alors vous n'avez pas bien regardé le cerf, et vous n'avez aucune idée de la taille de ce bison.

— As-tu une idée, toi, du nombre de « personnes » qui doivent venir ?

— Oh, ce n'est qu'une réunion de division régionale, alors elles ne seront pas très nombreuses. Quelques dizaines ou quelques centaines.

— Une réunion de division régionale de *quoi*, Chiara ? demanda Barnaby, vaguement inquiet.

— Parfois les gens normaux qui sont au courant l'appellent la Chambre Basse. Mais les délégués pensent qu'on devrait l'appeler la Chambre Vaste.

— Est-ce que ces délégués assez mélangés comprennent ce qu'ils font, Chiara ?

— Oui, dans l'ensemble ils le savent, Mr Sheen. Et vous ?

2

En considérant l'évolution d'en-bas, nous voyons une émergence... d'en-haut, la Création.

E. I. Watkin, *The Bow in the Clouds*

D'abord vinrent les réponses en avant-garde,
Puis les questions-hordes déferlantes...
(« Je ne puis rester, dit le grainetier,
Ni prendre mes aises avec les seigneurs. »)

Eco-Log

— *Arche* signifie le commencement, l'origine, dit le Dr George Drakos. Et aussi le principe qui est le même que l'origine. Il signifie le droit, la règle et, en tant que dérivé, l'autorité ou la fonction.

— Et anarchie ? demanda trop innocemment Barnaby Sheen.

— Vous connaissez sa signification. C'est l'opposé exact d'*arche*. Ce qui n'est pas du commencement; ce n'est jamais original, en rien; c'est sans principe, ça ne peut avoir aucune autorité réelle, et ça ne peut jamais être officiel.

— Mais si l'anarchie était venue d'abord ?

— Alors tous les mots sont dépourvus de signification et tout est à l'envers. Mais ce n'est pas le cas.

— Pas d'anarchie à l'aube du monde ? Pas de chaos primitif ? Avec l'apparition plus tardive du principe, de l'ordre, du propos et de l'autorité ?

— Jamais, Barnaby, jamais. L'anarchie ne peut se rapporter à quoi que ce soit d'ancien ou de primordial. L'anarchie est toujours moderne, c'est-à-dire « de la mode », cet état le plus étroit et le plus fugace.

— J'ai entendu aujourd'hui traiter d'anarchiste une personne assez primitive, encore que jeune par les années, murmura Barnaby, songeur.

— On se trompait, affirma Drakos. Ce qui s'est passé au commencement; ce que signifie le développement ou l'évolution, a donné lieu à de graves malentendus. Il n'y a rien de nouveau sous le soleil, et le soleil lui-même n'a jamais été aussi nouveau que certains l'ont prétendu. Trop de gens ont considéré le monde comme s'il était le produit d'un processus de sélection naturelle, comme s'il était le résultat d'un chaos sans objet plutôt que d'un ordre déterminant. Suffisamment de gens l'ont vu ainsi pour qu'il le devienne, en tout état de mauvaise cause. Mais toute thèse, si on la pousse assez loin, aboutit à sa propre conclusion intégrée. La seule conclusion possible de la théorie de la sélection naturelle est la pollution totale jusqu'à l'asphyxie et la mort : les effluves de l'idiotie organisée et générale provoquent toujours cette asphyxie. Et la dernière voix étranglée des partisans du chaos originel gémira : « C'est la faute des autres, de ceux qui disaient que tout a commencé dans l'ordre; ils ont causé la catastrophe. » Mais nous devons envisager le tout avec des yeux plus valides, et suffisamment d'entre nous doivent le voir tel qu'il est pour rétablir sa validité. Voir le monde et le sentir tel qu'il doit être, c'est un acte créateur qui le rétablira tel qu'il doit être. Nous avons trop longtemps été des seigneurs défectueux. Maintenant...

Un petit professeur miteux, à la réputation d'excentrique, entra dans la pièce où nous étions réunis. Quelqu'un avait dû le faire entrer. Il n'aurait pu trouver autrement ce bar-bibliothèque intérieur. C'était Austro, jouant les majordomes mais avec beaucoup de gestes déroutants, qui l'avait amené. Et puis Austro disparut, s'évapora, s'enfuit.

— Austro veut donner une réception pour quelques-uns de ses amis et associés, dit l'homme miteux (j'oublie son nom; tout le monde oubliait toujours son nom). Ah, ils ne sont pas tous humains, acheva le petit homme.

— Je suis vaguement au courant, dit Barnaby, mais il me semble que j'en sais de moins en moins. Ah, Mary Mondo, quel genre de logement proposeriez-vous à un blaireau, un castor, un coyote, un vautour ou un nécrophore ?

— Du fumier. Je crois que nous aurons besoin de beaucoup de fumier, expliqua-t-elle. Il y a tant de choses que l'on peut faire avec du fumier ! Les scarabées l'adorent, les hannetons aussi. On peut y faire croître des cycles de vie entiers et toutes sortes de créatures se sentiront chez elles. C'est une vieille question sans réponse, vous savez. Qu'est-ce qui est venu d'abord, le cheval ou le fumier de cheval ? Mais le fumier est tout à fait nécessaire.

— Je le reconnais. C'est une réalité que l'on oublie trop souvent et le monde l'oublie à ses dépens. Merci, Mary, nous allons faire provision de fumier de cheval et de plusieurs chevaux.

— Vous avez déjà plusieurs chevaux, Sheen, intervint le professeur miteux. Des chevaux assez grands et à l'aspect assez vigoureux. Je ne crois pas qu'ils soient de par ici. Dites-moi, où est cette Mary à qui vous parliez et pourquoi ne puis-je la voir ?

— Vous ne pouvez la voir parce que vous avez des yeux incomplets, mon ami. Et pour cette raison vous êtes, comme je l'ai déjà soupçonné, un délégué incomplet pour ce que doit être cette réunion.

— Je peux la distinguer un petit peu, maintenant, dit le professeur miteux, et il parlait franchement.

Nous étions rassemblés ce soir-là dans le bar-biliothèque de Barnaby Sheen : Barnaby lui-même, Harry O'Donovan, le Dr George Darkos, Cris Benedetti, ces quatre hommes qui savaient tout, et moi qui ne savais rien; et maintenant le professeur miteux qui ne savait rien non plus. Et puis il y avait Austro qui allait et venait; et Loretta et Mary Mondo qui étaient et n'étaient pas.

— Je viens ici ce soir avec une double capacité, Barney, dit Drakos, en tant que médecin et observateur, et aussi en ami. Le Conseil de Santé s'inquiète de certains animaux singuliers et peut-être non hygiéniques qui sont apparus aujourd'hui autour de votre propriété. Le Conseil se réunit demain matin, à votre sujet, et je dois assister à cette séance. Et ce soir, il me faut rassembler le plus de renseignements possible.

— Je vous autorise bien volontiers à essayer, George, répliqua Barnaby. Moi-même, je ne comprends pas du tout. Il y a ce soir dans ce ravin, des animaux, que l'on trouve rarement en ville, des hérissons, des blaireaux, des écureuils, des chiens de prairie, des putois, des lapins, des renards, des chats sauvages, des furets, des martres.

— Et des martins-pêcheurs, ajouta Harry O'Donovan qui s'intéressait aux oiseaux. Ce ne sont pas des nocturnes mais ils sont là derrière, cette nuit. Et aussi des geais, des bruants, des martinets, des mésanges. J'ai déjà vu un aussi grand nombre d'oiseaux dans un espace aussi restreint, mais jamais un aussi grand nombre d'espèces. Pluviers, hérons, canards, vanneaux, oies sauvages. Il y a même un cygne; il a dû voler depuis le Lac des Cygnes.

— Il est venu de bien plus loin, me dit ma fille Chiara, murmura Cris Benedetti.

Il semblait saisi d'une sorte de crainte respectueuse. Quant au petit professeur intrus, il roulait entre ses mains plusieurs de ces sacs pleins de graines qui étaient faits d'une feuille marron-vert qui reste toujours souple comme du cuir. Il transportait toujours des graines, qui s'éparpillaient autour de lui. A part ça, il était assez soigné, d'une manière un peu miteuse.

— Des insectes, des vers, des serpents, des escargots,

des grenouilles, je ne sais pas d'où ils viennent tous, reprit O'Donovan. Et du poisson! Il ne pourrait y avoir d'aussi gros poissons dans ce petit ruisseau ou égout, en temps normal; il n'est pas assez profond. A présent il l'est, ou en a l'air.

— Quelqu'un connaît-il la solution? demanda Barnaby Sheen.

— Certainement, dit Drakos. J'étais justement en train de l'aborder quand le petit professeur est entré. *En Arche en ho Logos,* comme l'écrit Jean dans son évangile. Au commencement était le Verbe. Je vous ai déjà dit qu'*Arche* veut dire le commencement, l'origine ou l'originel, le principe, l'ordre et l'équilibre, la règle, l'autorité, la fonction. Et *Logos* ne signifie pas seulement le verbe; il signifie aussi le récit, la discussion, l'étude, la raison; et il signifie la réponse, la solution. Donc la phrase veut dire en réalité « Au commencement était la solution ». Mais l'opposé de *Logos, Alogos,* signifie le déraisonnable, la confusion, l'absurde.

— *Logos* veut aussi dire logique, intervint Barnaby. Mais ça suffit, George, les mots n'ont pas de valeur.

— Non, la discussion, la logique comme vous dites, la solution, tout est dans le *Logos,* la perle inestimable. Ce n'est pas sans valeur. Et je ne me trompe pas quand je dis que *toutes* les solutions étaient données au commencement. Ce commencement est cependant difficile à atteindre, surtout dans un monde qui prétend qu'il est impossible de revenir en arrière et même de se retourner.

— Vous êtes des seigneurs, déclara le professeur miteux. Je ne suis pas à mon aise avec vous. Je vais partir, maintenant, pour la séance de nuit, et Austro viendra avec moi. Je suppose que vous autres seigneurs vous allez rester aussi en séance continue pendant les quelques jours et nuits de la réunion. Vous avez votre propre rôle à jouer.

— Je doute que nous restions si longtemps en séance, dit Barnaby. Pourquoi faire? Et comment avons-nous un rôle à jouer dans cette Foire des Animaux?

— C'est que vous êtes les quatre hommes qui savent tout, riposta le grainetier, avec en plus un scribe greffier qui tient vos minutes, comme Austro le fera pour cette réunion de division régionale de la Chambre Vaste. Vous êtes les seigneurs, les supérieurs.

— Que nous sachions tout, ce n'est qu'une convention littéraire du scribe greffier que voici. Il a raison, Laff, vous êtes un peu comme Austro. Mais nous ne savons pas tout, mon ami, ah mais non.

— Néanmoins, ceux de la Chambre Vaste ont appris que vous saviez tout et ils le croient. Ils ont besoin d'une contrepartie. Ils ne trouvent pas d'autre centre maniable. Ils espèrent que vous serez ce centre, et plusieurs d'entre nous, les courriers opérant la liaison entre les deux chambres, vous avons désignés pour ce rôle. Il pourrait y avoir de la violence, de la violence animale si les délégués de la Chambre Vaste travaillaient, discutaient et découvraient ensuite que les seigneurs ne s'en soucient pas.

Le professeur aux graines sortit alors et le jeune Austro l'accompagna.

Nous gardâmes le silence un moment.

— Eh bien, sommes-nous vraiment des seigneurs? demanda Cris Benedetti à la ronde.

— Certainement, seigneur, nous le sommes, répondit Harry Donovan. Les seigneurs de la création.

Et le silence retomba.

— Nous n'allons pas avoir besoin de ce fumier après tout, annonça Mary Mondo, entrant de l'extérieur aussi facilement que le font souvent les personnes dans son état. J'aurais dû connaître la réponse : le cheval est venu d'abord. Le cycle opère parfaitement et nous avons déjà un joli nom pour notre hospitalité.

— Merci, Mary, dit Barnaby Sheen.

3

Si jamais je reforme le Monde,
J'animerai le rire et animerai la douleur.

Song of the Shaper

Une Foire aux Animaux qui grondait et jappait
Affrontait son Frère Supérieur
(Il advint dans l'affaire inévitablement
Que les délégués se mangèrent entre eux.)

Eco-Log

Il y eut alors plusieurs jours et nuits des plus intéressants. Les choses les plus intéressantes se passaient dans le ravin boisé qui courait derrière la maison de Barnaby Sheen, entre son domaine et celui de Cris Benedetti.

Beaucoup de gens arrivèrent. Il y avait des personnalités officielles et d'autres quasi-officielles; d'autres encore n'avaient aucune fonction. Mais ils ne découvraient pas tous les mêmes choses; les gens voient les choses différemment. Certaines personnes virent un ravin plein d'animaux. D'autres n'y virent rien d'insolite du tout, simplement un ravin touffu qui aurait besoin d'être défriché ou comblé. Je pouvais voir la plupart des créatures, mais j'avais eu de l'entraînement, avec Austro, avec Chiara Benedetti et Mady Mondo.

Barnaby y avait fait porter deux cents balles de fourrage; et puis deux ou trois blocs de vingt-cinq kilos de sel gemme, une grande quantité de comprimés minéraux d'appoint, cinquante kilos de graines pour les oiseaux et une demi-tonne d'aliments pour chiens et chats.

— Cela devrait pouvoir nourrir tout le monde, dit-il, mais sur un ton sceptique. Cela devrait fournir des aliments aux herbivores comme aux carnivores, au bétail de la terre et aux oiseaux des airs, aux... ah! J'ai oublié!

Il commanda alors cinquante kilos de nourriture pour poissons; et cette denrée est chère, surtout si on la répand dans une eau qui semble tantôt claire et brillante, tantôt opaque et putride.

Il y avait des ricanements, il y avait de gros rires juste au seuil de l'audition; c'était le rire animal, un rire tranchant hérissé de crocs.

— J'essaie d'être un bon hôte, à grands frais personnels, pour des invités que je ne connais pas et que je n'ai pas priés, murmura tristement Barnaby. Et on se moque de moi. Maudites bêtes! Vous grognez après moi, hein? Je vais vous montrer ce qu'est un vrai grognement!

Mais nous savions tous que les aliments pour chiens et chats n'étaient pas acceptables, que cela avait été une erreur. Rien ni personne n'allait les manger, à part des chiens et chats domestiques, et les chiens et chats domestiques du quartier avaient disparu dans la gueule des animaux plus grands et plus féroces. Et la nourriture pour poissons n'était pas acceptable non plus. Avez-vous déjà entendu un poisson ricaner?

Le ravin semblait par moments bien plus grand qu'il ne pouvait l'être. Ce pâté de maisons n'avait que deux cents mètres de long, sur cent de large. Et le ravin qui serpentait au centre, entre les deux propriétés, ne faisait guère plus de dix mètres dans sa plus grande largeur, sur trois ou quatre de profondeur. Mais à présent il paraissait beaucoup plus vaste, comme s'il était en surimpression sur un plus grand territoire; ou, plus exactement, comme s'il passait sous une vaste région et se voyait en transparence. Il occupait un espace qui appartenait à autre chose. Il y avait d'immenses panoramas incompréhensibles de...

« ... perspectives étendues et terres vert-de-gris faites avec mes yeux de réalité, formées par mes mains. »

D'où provenaient ces paroles éculées et muettes? Oh, en partie, elles venaient d'un puma fauve qui venait de dévorer un chien, gardant les oreilles pour la bonne bouche; en partie d'une sauvagine, cet animal-démon féroce; en partie d'un taureau cornu d'une taille peu commune; en partie d'un serpent dans l'herbe. Austro y participait; et l'homme aux graines et un inconnu. Mais, surtout, elles étaient exprimées par Chiara Benedetti. Elle était vivante et vibrante dans un sombre bosquet, là-bas, chantant silencieusement, dégageant des ondes de feu, avec des étincelles jaillissant de la pointe de ses pieds et de la pointe de ses oreilles. Oh, elle était vivante, et elle était un esprit-animal! Et les créatures du cycle se donnaient mutuellement la vie par leur attention et leurs sens.

Selon l'un des philosophes de la Grèce antique, la plus valide des scènes peut être créée, ou maintenue en existence, par les yeux formateurs et les esprits de sept personnes seulement. Et Charles Harness a laissé entendre pratiquement la même chose.

Mais les scènes réelles ne peuvent être ainsi maintenues! A moins que ce soit possible? Les scènes les plus réelles sont simplement celles que créent les esprits et les yeux les plus réels. Il faut avouer, cependant, que dans ce domaine des réalités variées la quantité prend souvent le pas sur la qualité.

Cela dit, les yeux les plus distraits pouvaient maintenant voir qu'il y avait quelques animaux inconnus, errant dans ce ravin. Il y avait par exemple un bœuf aux yeux vagues qui ruminait, et que faisait-il là, après tout? Il y avait deux chevaux nerveux; et puis un cerf. Et d'autres formes qui pouvaient être des animaux, ou alors des souches, des troncs d'arbres.

Un bison éructant... il devait s'être échappé du ranch *Blue Hills;* c'est le seul endroit où il y ait des bisons, dans la région; on essaie de les croiser avec du bétail pour fixer certaines caractéristiques, mais en général on n'obtient que des hybrides stériles. Et puis un poisson bondit en décrivant un grand arc, long de trois mètres et haut de plus d'un mètre. Comment un poisson peut-il faire un bond de plus d'un mètre dans les airs, en jaillissant d'une eau qui n'a pas vingt centimètres de profondeur?

— Vous ne vous êtes pas encore débarrassé de cet anarchiste, Mr Sheen, se plaignait Mrs Bagby. (Austro allait et venait en riant, dessinant des caricatures sur un grand bloc à dessin.) Je crois vraiment qu'il provoque ces étranges scènes et effets en les regardant et en les dessinant.

— La marque d'un véritable artiste, Mrs Bagby, observa Barnaby.

— Mais il est grossier, il a fait de moi une caricature grossière, bougonna-t-elle.

— Fais voir un peu, ordonna Barnaby.

Austro apporta son bloc et nous montra le dessin, d'un air mi-honteux mi-sournois. Nous le regardâmes. Le dessin représentait une sorcière sur un manche à balai incroyablement vermoulu, et elle amorçait une chute en vrille par suite d'une panne de balai. Elle disait quelque chose, dans une bulle, mais c'était de la main d'Austro et impossible à lire.

— Comment savez-vous que cela vous représente, Mrs Bagby? demanda Barnaby.

— Oh, je sais bien que c'est moi, je le sais. Regardez le sourire de cet anarchiste!

— Si seulement je pouvais lire ce que tu as écrit dans la bulle, Austro. Quels sont les mots que prononce la sorcière quand son balai tombe en panne?

— C'est simple, elle dit « C'est le bouquet », expliqua Chiara qui était venue voir.

Ainsi, Chiara savait interpréter les gribouillages d'Austro.

— Austro écrit et s'exprime dans un langage intuitif, dis-je. Quelques personnes peuvent le comprendre, mais la plupart en sont incapables. Et personne ne peut l'apprendre.

— Ah taisez-vous, Laff! grommela Barnaby.

Il était trop intelligent pour le croire, et pourtant c'était vrai.

— En réalité, les caricatures d'Austro et les choses qu'il leur fait dire sont les minutes de la séance de la Chambre Vaste, déclara l'homme aux graines en s'approchant.

— Ah, est-ce que le rot du bison, indiqué là dans la bulle au-dessus du dessin de l'animal, fait partie de la discussion qui a eu lieu lors de cette séance? demanda Barnaby.

— Oui, bien sûr, répondit le grainetier. Le bison est un des orateurs les plus écoutés.

Barnaby rendit le bloc à dessin à Austro; et cette créature se remit à dessiner fébrilement et fort bien les minutes de la séance, les grognements, les ronflements et les rugissements. Tout n'était pas aimable, mais le lapin se couchait effectivement avec le chat sauvage et il y avait certainement une tentative de discussion significative. Le chat sauvage fit une déclaration et l'on vit Austro l'enregistrer. Puis le lapin prit la parole; c'était l'antithèse de la déclaration du chat sauvage. Après quoi le chat sauvage mangea le lapin : ça, c'était la synthèse. Après tout, quel genre de procédures avez-vous dans votre propre Parlement? Et Austro enregistrait tout cela fidèlement.

— La réalité, dit Harry O'Donovan avec une lueur ir-
réelle dans les yeux, doit demeurer subjective pour
chaque individu, encore que la Foi et les Maîtres d'école
nous disent qu'il existe bien une réalité objective. Cris,
votre fille Chiara jouait aux Animaux Imaginés cet après-
midi et pendant un moment j'ai partagé une réalité subjective qu'elle avait créée. Nous jouions aux Animaux
Imaginés quand j'étais petit garçon.

— Je ne me souviens pas d'avoir jamais joué à un jeu
appelé les Animaux Imaginés, Harry, intervint George
Drakos, et nous étions petits garçons ensemble.

— J'étais une vraie fille, je jouais avec mes sœurs,
expliqua Harry O'Donovan.

C'était probablement la deuxième soirée, après l'ouverture d'un certain Congrès des Créatures; ou après
que l'on avait commencé à jouer aux Animaux Imaginés
(si l'on se place à ce point de vue). Nous étions de
nouveau réunis dans la bibliothèque de Barnaby Sheen pour
une agréable soirée de libations et de conversation, ou
peut-être nous étions-nous assemblés pour une séance de
la Chambre Haute (si l'on se place à ce point de vue).

— Les Animaux Imaginés, c'est un jeu très sophistiqué
pour les enfants, déclara Harry O'Donovan. Mais, para-
doxalement, il est presque impossible que des adultes y
jouent, et absolument impossible pour des adultes sophis-
tiqués. Il est basé sur l'auto-hypnotisme et sur l'hypnotisme
de groupe. On voit une forme de rocher ou d'arbre ou de
buisson. Quelle que soit la forme, elle devra évoquer
celle d'un animal ou d'un groupe d'animaux; n'importe
comment, elle ressemblera à la forme de *quelque chose*.
Il n'existe pas de forme si informe qu'elle ne possède pas
deux points de vue ou plus. Votre Austro, Barney, peut
dessiner ces choses sur le papier si bien que lorsqu'on les
regarde, et qu'on regarde le dessin, et puis de nouveau
les choses, on y retrouve l'image animée de l'animal.
C'est assez pour vous faire dresser les cheveux sur la
tête, que de voir des bêtes sauvages féroces à un mètre de
vous, de sentir leur chaleur corporelle apportée par la
brise vagabonde, de humer...

— ... leur fumier, interrompit Barnaby. Il y a tant de choses que l'on peut faire avec du fumier et c'est tellement nécessaire, comme l'a fait observer Mary Mondo. Et, comme je l'ai fait observer moi-même, il est trop souvent oublié ou balayé dans l'égout, au point de mettre le monde en péril. Ce n'est pas l'ordure qui cause la pollution. C'est lorsque l'on tente de faire sortir l'ordure du cycle, que l'on pollue. Continuez, Harry.

— ... de humer l'odeur de leurs poils, de leur fourrure, et l'haleine verte des mangeurs de feuillage et le souffle rouge des carnivores (qui a parlé de l'odeur du fumier, Barney ? Il n'en a vraiment aucune quand il provient d'animaux en liberté); d'entendre le gargouillement de la panse des bêtes et le grondement de leur ventre ! Votre petite Chiara, Cris, est championne à ce jeu avec sa merveilleuse imagination. Mais cet après-midi elle a fait une erreur, tout de même...

— Laquelle, Harry ? demanda Cris Benedetti.

— Le lynx, elle s'est trompée en en créant l'impression. Elle a oublié les pattes énormes qui vont avec ce corps relativement petit; elle a oublié les touffes de poils des oreilles, et elle a fait la queue trop longue et trop fournie.

— Il n'y a pas de lynx dans nos régions, dit Drakos. Vous avez sans doute vu le lynx du *Mohawk Zoo,* mais ce n'est qu'un simple chat sauvage de nos contrées (il y en a beaucoup à voir si l'on a l'œil vif et vous ne l'avez pas). Et elle l'a bien créé. Austro aussi.

— Vous aussi, vous vous êtes laissé embarquer dans les Animaux Imaginés ?

— Non. Je ne connais pas ce jeu. Mais Austro m'a montré un dessin qu'il avait fait d'un chat sauvage, pas d'un lynx. Et aujourd'hui, à un moment donné, en observant Chiara, je lui ai vu des yeux de chat sauvage, pas de lynx.

— Les animaux imaginés ou les animaux résultant d'un hypnotisme de groupe doivent manger beaucoup de foin, déclara Barnaby Sheen. J'ai reçu deux bordereaux de livraison au courrier ce matin. Je ne les comprends pas du tout, mais ils viennent de firmes différentes et ma signature figure nettement sur chacun. Qu'est-ce qui me prend d'acheter des marchandises à un marchand de graines et de fourrage, à une épicerie en gros, à *Uncle Dan's Fournitures pour Fermes,* dans une boutique pour chiens et chats ? Et de la nourriture pour poissons en quantité ? Ce n'est certainement pas mon habitude ! Il y a anguille sous roche dans cette histoire de nourriture pour poissons.

Loretta Sheen se redressa, cligna de l'œil (et un peu de sciure coula de son œil) et se rallongea. Animaux Imaginés, en vérité ! Plutôt des personnes à l'imagination déréglée. On était toujours en danger d'auto-hypnose quand on était dans la même pièce que cette poupée grandeur nature.

— J'ai une impression d'empires invisibles depuis quelques jours, dit Cris Benedetti. Et ils semblent s'enchevêtrer comme s'ils avaient des racines communes dans un terrain commun. Cela me rappelle une parabole de Chesterton. Il s'agit d'une petite herbe affligeante dans le désert, mais justement elle est reliée aux racines du monde. Un garçon essaye d'arracher cette herbe, mais elle est très solide, pour une petite mauvaise herbe. Il ne peut pas la déraciner, mais il arrache beaucoup de choses au fond de la terre, en s'y efforçant. De lointains vergers sont attirés au fond de la terre par ses tentatives, car tous sont reliés à cette herbe. Des vignes rentrent dans leur sol, et des oliveraies. Des prairies, des jardins potagers disparaissent, et des champs de blé, laissant partout une désolation aride là où ils avaient poussé. Et puis des pans entiers de barrages s'écroulent, des talus, faisant place à des marécages d'une eau ni douce ni saumâtre mais pourrie. Des canaux et des rivières crèvent leur lit et plongent dans des gouffres, et ils sont remplacés par des égouts nauséabonds. Des bâtiments vacillent et s'écroulent. La terre tremble, les montagnes fondent, des incendies ravageurs éclatent.

» Et puis le jeune garçon remarque que ce qu'il arrache n'est pas une herbe mais une noble plante dont le nom est vérité-depuis-le-commencement. Dès qu'il cesse de tirer sur la plante, le monde commence à se réparer. Mais de temps en temps quelqu'un d'autre essaye d'arracher la plante en croyant (par une vision perverse) que c'est une mauvaise herbe. Et le monde redevient asphyxié et empoisonné et va de nouveau tout de travers. Je crois qu'en ce moment, quelqu'un cherche à déraciner la petite plante, avec les mêmes tristes conséquences.

— Et moi je crois que j'ai lu dans Chesterton quelque chose qui pourrait être le germe de cette parabole, dit Drakos. Mais il ne l'a pas du tout écrite comme vous le racontez.

— A vrai dire, je ne l'ai pas lue. Ma fille Chiara l'a lue et me l'a racontée; elle était toute surexcitée. Elle ne falsifie pas les choses quand elle les filtre dans son esprit. Elle les rend plus vraies; je dirais qu'elle les vérifie, si vérifier n'avait pas pris un autre sens. Barnaby, pourquoi ne faisons-nous pas quelque chose, au sujet de cet horrible égout qui sépare nos propriétés?

— Oui, pourquoi pas? demanda Harry O'Donovan. La pollution commence à la maison; chez vous, Barney, et chez Benedetti, pas chez moi. L'eau est pestilentielle et pourrie, et les berges envahies d'ordures. Je le sens fortement en ce moment.

— Je fais quelque chose, assura Barnaby. Je suis en train d'y penser.

— Et y penser en fera autre chose qu'un égout? demanda ironiquement O'Donovan.

— Je ne sais pas, avoua Barnaby avec tristesse. Je crois qu'y penser est le premier pas, pour en faire moins qu'un égout, oui. Il est possible qu'il soit autre chose, à d'autres yeux. Et un castor à qui j'en ai parlé aujourd'hui m'a dit qu'il avait quelques bonnes idées pour le remettre d'aplomb. Il m'a montré, ou quelqu'un m'a montré ce qu'on pourrait en faire : un charmant petit ruisseau se jetant dans un bassin d'eau claire bordé d'herbe fraîche, sortant en petite cascade en passant sur un barrage qui n'est autre qu'une habitation de castors. Les berges étaient luxuriantes, les arbres et les buissons propres et feuillus. Il m'a dit aussi (ce que j'avais oublié, semble-t-il) que tous les ruisseaux, les mares, les barrages, les cascades, les arbres et les buissons ont leur propre esprit et qu'au temps de la personnification ces esprits étaient appelés des nymphes.

Soudain, Barnaby releva la tête d'un air alarmé.

— Mais qu'est-ce que je raconte? Suis-je fou? Je n'ai

jamais parlé à un castor de ma vie! Je dois perdre la tête. Quelqu'un peut-il me dire pourquoi j'ai signé un bulletin de livraison de deux cents balles de foin? Que ferais-je de tant de foin? A quoi diable ai-je pu penser, qu'est-ce que j'ai cru signer? Et où se trouve ce foin à présent, si tant est qu'il existe?

Barnaby prit son verre et but une gorgée. Mary Mondo, ce fantasque fantôme, venait de verser quelque chose dans ce verre et Barnaby ne l'avait pas remarqué. Maintenant il bâillait, il hochait la tête. Barnaby commençait à s'endormir.

L'homme aux graines entra dans la pièce. Et puis ce fut Austro. Austro était entré par la porte, mais pas le grainetier.

4

Trois objets, brillant comme torches flambantes,
Sont fixés pour l'éternité :
Le mot qui commence; la main du Formeur;
L'écriture sur le mur.

Orthcutt

Le fléau de la balance se penche très loin,
Et comme le temps s'enfuit !
Ah vivement, vivement ! car vous êtes
Remplaçables, vous savez.

Eco-Log

— Les enfants de ce monde, et il est écrit que dans leur génération ils sont plus sages que les enfants de lumière, disent que la surpopulation est la cause de l'asphyxie et de la pollution. Ils se trompent, mais à les entendre, on dirait qu'ils ont raison, dit Harry O'Donovan.

Mary Mondo versa alors quelque chose dans son verre. Il ne parut pas le remarquer du tout.

Ce devait être le soir suivant. Quelque chose avait en grande partie effacé une soirée et la journée, et Mary Mondo avait versé je ne sais quoi dans les verres, depuis plusieurs soirs. L'homme aux graines et Austro venaient de reparaître.

— Les enfants de ce monde se trompent, déclara Drakos. Saint Augustin emploie cette phrase : « Le nombre de saints qui doivent compléter cette ville bénie », et ce nombre n'a pas encore été atteint. Quand le peuplement du monde sera parvenu à un certain stade, alors le monde se transcendera. Il ne l'a pas encore fait.

Et Mary Mondo versa quelque chose dans le verre de Drakos.

Loretta Sheen se redressa. Elle porta un doigt à ses lèvres et fit « chut ». Un peu de son coula du coin de sa bouche. Puis elle se rallongea.

— J'ai toujours eu beaucoup de prodiges autour de moi, dit Barnaby d'une voix ensommeillée. Ma « famille » n'est composée que de cela. Mais ces derniers jours, il y a eu des prodiges sortant de l'ordinaire. Je vois des animaux là où il ne peut y avoir de telles bêtes. J'ai une impression d'un Congrès de Créatures ou d'une Foire aux Animaux. Je vois un grainetier et je lui parle. Et puis je le regarde arriver en traversant le mur et je sais que ce ne peut être un grainetier ordinaire. Mais je sens que tout cela essaie de me dire quelque chose.

— C'est comme le ouidja ou la Gorge d'Olduvai, Barney, dit Cris Benedetti (et Mary Mondo versa quelque chose dans son verre). Ces choses disent ce qui est déjà dans votre esprit. Elles vous rendent vos propres pensées et croyances. Mais il n'y a pas eu de Foire aux Animaux. Il n'y a eu que le jeu d'O'Donovan, les Animaux Imaginés, qui a mal tourné à cause de l'imagination formelle de plusieurs enfants, ma fille Chiara, votre fils adoptif Austro, d'autres peut-être. Et le grainetier est un pur spectre ; je ne sais pas qui l'a imaginé.

— Vous en savez donc plus sur moi que je n'en sais moi-même ? demanda l'homme aux graines.

Benedetti l'entendit à peine.

Il avait diverses sortes de graines dans ces bourses de feuilles semblables à du cuir, même des œufs de poisson.

Mary Mondo versa quelque chose dans mon verre. J'y goûtai. C'était fort, et presque amer, avec un léger goût de réglisse. Cela se trouve dans de très petits flacons à étiquette noire, et beaucoup de bars n'en ont pas du tout. Cela s'appelle Lethe. J'en bus très peu.

— Les créatures de la Chambre Vaste vous informent,

déclara le grainetier. Vous devez faire beaucoup, beaucoup mieux, au cours de vos séances.

Mais nous ne fîmes guère attention à lui.

— Stevenson l'a bien dit, marmonna Barnaby. « Il n'y a pas de devoir que nous sous-estimions moins que le devoir d'être heureux. »

Et sur cette pensée profonde, Barnaby plongea dans un profond sommeil. (Mary Mondo avait encore corsé son verre ce soir.)

— Vous autres, les seigneurs, vous n'avez pas l'air de comprendre tous les choix, reprit le grainetier, alors que vous êtes pourtant en termes amicaux et pas trop condescendants avec un membre d'une des races concernées. Voyez-vous, une ou plusieurs des premières races humaines, aussi humaines que nous, ont pu être mises de côté et gardées en réserve. Peut-être seront-elles appelées à entrer dans le jeu bientôt, maintenant, comme une seconde équipe quand la première est incapable de faire rouler la balle.

Austro sourit et se désigna lui-même. Puis il croisa ses mains au-dessus de sa tête comme un boxeur vainqueur. Mais le plus curieux, c'est qu'aucun de mes quatre amis ne paraissait voir ni entendre le grainetier, ce soir; et aucun d'eux ne remarqua les pitreries d'Austro.

— Il vient de me venir une idée des plus comiques, dit Harry O'Donovan d'une voix lourde de sommeil. Et s'il existait une ou plusieurs des premières races humaines, aussi humaines que nous, qui ont été mises de côté et gardées en réserve ? Et si elles allaient être appelées à prendre notre place si nous ne travaillons pas un peu mieux à découvrir la solution ? Que pensez-vous de cette hypothèse ?

Et soudain O'Donovan sombra dans un mauvais sommeil agité.

Qu'était-ce donc ? Le grainetier était-il par moments invisible et inaudible pour ces seigneurs, tout en parvenant à communiquer son message à leur esprit ? Cela semblait bien être le cas.

— Une des choses qui ne vont pas, c'est que vous ne reconnaissez plus l'esprit des choses, dit l'homme aux graines. L'esprit du Formeur, naturellement, est dans tout, animé ou inanimé, dans chaque personne, animal, plante, arbre, étang, rocher, maison, usine. Mais votre esprit est incapable de le comprendre. Jadis vous voyiez une nymphe dans tout, chaque arbre, chaque ruisseau, chaque pierre. En d'autres temps, vous voyiez un ange dans tout. Maintenant les seigneurs que vous êtes ne voient l'esprit dans rien du tout. Vous n'êtes pas suffisamment saints pour voir le Formeur, ni assez pour voir l'ange, ni même assez saints pour voir la nymphe. Ah! La plupart d'entre vous ne sont pas assez saints pour voir la pierre.

Mais aucun de mes deux amis réveillés ne semblait entendre ou voir le grainetier.

— Je viens d'avoir une idée, dit Cris Benedetti d'une voix où s'insinuait le sommeil. Ma fille dit que si l'on voit une chose d'une certaine façon, on la rendra parfois ainsi. C'est de la métaphysique, ce qui dépasse la physique ou se cache dessous. Je crois que nous devrions voir une nymphe dans chaque arbre et ruisseau, comme jadis, dans chaque champ et même dans chaque usine. Si seulement nous pouvions comprendre que tout objet contient l'essence de l'esprit! Mais comme nous en sommes incapables, alors pourquoi ne pouvons-nous voir une personnification de l'esprit dans chaque objet? Il nous faut plus de nymphes. Même les égouts devraient avoir des nymphes; alors ils comprendraient qu'il n'y a pas de honte à être un égout, à être un bon égout qui transforme... Ah...

Ah... Il dormait.

— Ainsi vous en avez endormi un autre, dis-je au grainetier. Mais il n'y a pas de nymphes, vous savez.

— Chiara en est une, me dit-il. Mary Mondo en est une d'une espèce différente. Loretta en est une, d'une autre sorte encore; elle est la nymphe ou l'esprit de cette maison encombrée. Et la sciure qui s'échappe d'elle ne dit même pas à son père que cette sainte maison est transformée en sciure par les termites.

» Mais pourquoi, seigneurs, ne prospectez-vous pas les plus riches des mines? Vos eaux pourries sont de véritables fleuves-trésors de produits chimiques et minéraux. Vos cimetières de voitures sont les veines de minerai les plus concentrées de la Terre. Vos cerveaux négligés, souillés et pollués contiennent de telles masses d'intelligence pure que vous pourriez être à jamais les seigneurs du monde. Ah, utilisez-les, ensemencez-les, cultivez-les, moissonnez-les de nouveau, et éternellement.

Le Dr George Drakos n'entendit pas l'homme aux graines, pas plus qu'il ne le vit, et il avait les oreilles les plus entendantes et les yeux les plus voyants d'eux tous.

— La solution, marmonna Drakos à demi-assoupi, réside dans le recyclage. Recycler encore et encore, jusqu'à ce que nous replacions chaque chose dans sa propre existence. Nous recyclerons les déchets des animaux et des plantes, des usines et des mines. Nous recyclerons (restaurerons serait le mot juste) les provinces et les villes, les personnalités et les personnes. Que les débris tombent où ils peuvent! On ne meurt qu'une fois. Nous ramènerons les choses à leur commencement. Nous nous rappellerons la signification des mots « Je suis la résurrection et la vie. »

Et sur ce, Drakos s'endormit.

George Drakos avait compris par intuition que la solution avait été donnée au commencement : mais il avait contemplé le livre à l'envers, comme un Arabe ou un Juif, à la dernière page, et n'était jamais arrivé au commencement.

— Non, assez, Mary, dis-je à Mary Mondo. Ce breuvage m'endort et me fait oublier.

— Allons donc! me communiqua-t-elle. J'aime en donner aux gens, et c'est mon travail pendant un moment. D'ailleurs, vous *devez* oublier. Ceci doit être enfoui tout au fond de vous, comme une des graines du grainetier, avant de pouvoir croître.

— Comment vous appelez-vous? demandai-je à l'homme aux graines.

— Je suis Seminator le semeur, un des fils de Tellus, me répondit-il.

— Alors vous n'êtes pas un professeur?

— Si. Je suis un professeur. Je professe.

Il y avait du bruit en bas comme si des créatures entraient. L'odeur du poil et l'odeur de fourrure grimpaient des étages inférieurs; il y avait l'haleine verte des mangeurs de feuillages et le souffle rouge des carnivores; il y avait l'odeur de plumes et de pieds des oiseaux. C'était, là en bas, un complexe de choses voletantes, rampantes, cavalantes, sautillantes, volantes. On entendait le claquement des bois et le grincement des griffes non rétractables sur le plancher. Le glou-glou du dindon et le chicotement du blaireau.

— Descends auprès d'eux, Austro, et enregistre leur décision, s'ils ont pris ce que l'on peut appeler une décision, ordonna le grainetier.

Et Austro descendit.

— Chacune de ces réunions de chapitres locaux est un événement minime, m'expliqua l'homme aux graines. Environ deux cents animaux significatifs, une demi-douzaine de seigneurs. Mais multipliez une de ces réunions locales par dix mille dans le monde entier, et cela devient une chose considérable. Vous êtes le scribe des seigneurs endormis que voici, mais je doute que vous puissiez suivre cela. Enfin, on peut toujours faire de son mieux. Ainsi donc, mes seigneurs endormis...

Le grainetier leur parla, à Barnaby Sheen et George Drakos, à Harry O'Donovan et Cris Benedetti. Il leur parla très longuement, et ils continuèrent de dormir profondément. Mais, tout endormis qu'ils fussent, ils le comprenaient parfaitement sur un plan profond, et moi pas. Ce n'est pas donné à tout le monde. Ils étaient, eux, les hommes qui savaient tout. Je n'étais qu'un scribe, comme Austro.

Au bout d'une heure environ, Austro remonta. En bas, c'était le grattement et le rampement et le grincement et le martèlement d'animaux et d'oiseaux qui sortaient. Le grainetier interrogea Austro du regard, et Austro lui fit un dessin.

— Ah, ceux de la Chambre Haute sont avertis, interpréta l'homme aux graines. Les Foires aux Animaux, ici et dans le monde entier, vous accordent un délai très bref. Votre contrat tacite ne sera même plus annuel, à présent. Il sera sur une base hebdomadaire, et même journalière. Les créatures ont fait tout le travail, disent-elles. Elles ont fourni les yeux formants, et vous les déformants. Vous devez voir avec des yeux plus valides, plus entremêlés. Vous pouvez être remplacés, vous savez.

— Que devons-nous faire au juste? demandai-je au grainetier.

— Je viens de le dire aux seigneurs endormis. Je leur ai dit certaines choses; quant au reste, ils devront le dire à eux-mêmes et au monde. Ce n'est pas plaisant pour moi, vous savez, d'avoir à revenir tous les quelques siècles de mon repos bien gagné. Ce n'est pas plaisant non plus pour mes dix mille frères. Je vais partir, maintenant. Je n'ai pas l'autorisation de prendre mes aises ici.

Sur ce, l'homme aux graines s'en alla, et pas par la porte. Au fond, avait-il vraiment été là?

— Quelle est réellement la situation, Austro? demandai-je.

Il dessina une main sur son bloc à dessin. Je ne sais comment, sa perspective était mauvaise, car la main était un million de fois plus grande que le bloc sur lequel elle était dessinée. C'était la main du Formeur, et elle avait l'air de devoir s'abattre d'un instant à l'autre.

— C'est grave, n'est-ce pas? dis-je.

Il hocha la tête. Oui. Puis il sourit. Il désigna sa tête et fit décrire à son index un mouvement circulaire. Il regarda les hommes endormis qui savaient tout et secoua la tête. Puis il cligna de l'œil.

— Ils ne se rappelleront pas ce qui s'est passé, dit-il dans son anglais rarement utilisé. Ils devront résoudre le problème sans se souvenir.

— A quel point est-ce grave, Austro? demandai-je.

Il traça de grands graphiques sur le mur avec un crayon rouge luminescent. Il pouvait écrire quelques mots d'anglais quand il le voulait, mais la phrase sur le mur était formulée dans son langage intuitif d'idéogrammes. Il y avait deux disques ou plateaux en équilibre presque parfait. Il y avait des mottes sur un des plateaux de la balance (et je savais que je faisais partie d'une de ces mottes); sur l'autre, il y avait apparemment des langues de feu. Et une ligne d'écriture.

Sous mes yeux, je vis le fléau de la balance dessinée légèrement sur le mur.

— Vous êtes pesés sur la balance? demandai-je craintivement et il hocha la tête pour me dire que j'avais bien deviné.

Puis il écrivit la deuxième ligne et mon malaise s'accrut.

— Et vous avez été jugés insuffisants?

— Carrock. Pas si vite, dit-il.

Il écrivit alors la dernière ligne en anglais, traçant les mots rouges phosphorescents sous le tout :

« Il s'en faudra de peu, c'est sûr », disaient les mots. Je crus voir le fléau de la balance dessinée vaciller plus encore.

Austro se servit à boire et s'assit dans un profond fauteuil. Pourquoi, me demandai-je, parvenais-je presque à comprendre Austro? Et pourquoi les quatre hommes ne le pouvaient-ils pas, en dépit de toutes les choses profondes qu'ils savaient? Ils ne pouvaient intuiter son langage intuitif, et jamais ils n'étaient capables de reconnaître son anglais occasionnel pour ce qu'il était.

(Austro fit signe à Mary Mondo et elle vint corser son verre. Il but.)

— Nous non plus, dit-il de sa voix pâteuse.

Il voulait dire que nous non plus nous ne nous rappellerions pas ces événements qui étaient arrivés.)

Je me dis que c'était parce que je lui ressemblais un peu plus, que j'agissais un peu plus comme Austro que les autres. Alors nous bûmes ensemble, tous deux, le tout jeune homme de l'espèce *Homo australopithecus* et l'homme vieillissant de l'espèce appelée comiquement *Homo sapiens*.

— Je prendrai aussi un peu de ce truc-là maintenant, Mary, dis-je, et le fantasque fantôme versa quelque chose dans mon verre.

— A la nôtre, dis-je, et je bus.

— Fchoinoeachlyuntrqu, répondit-il en portant son toast, et il but longuement.

Les scribes professionnels boivent souvent le breuvage du Lethe quand ils sont ensemble. C'est en quelque sorte une nécessité.

la machine
à sauver la musique

par Philip K. DICK

Le Dr Labyrinth se laissa retomber dans sa chaise-
longue en fermant mélancoliquement les yeux et il ramena
sa couverture sur ses genoux.

— Et alors ?

J'étais debout à me réchauffer les mains au-dessus du
foyer du barbecue. L'air était limpide et froid. Il n'y avait
pour ainsi dire pas un nuage dans le ciel ensoleillé de Los
Angeles. Derrière la modeste demeure de Labyrinth, le
terrain doucement vallonné qui rejoignait les montagnes
était une véritable forêt miniature donnant l'illusion de la
nature sauvage au sein même de la ville.

— Et alors ? répétai-je. La Machine a-t-elle fonctionné
conformément à votre attente ?

Comme il ne répondait pas, je me retournai. Le vieux
monsieur contemplait fixement d'un air morne un énorme
scarabée noir en train de monter lentement à l'assaut de la
couverture. Il l'escaladait méthodiquement avec une sorte
de raide dignité. Parvenu au sommet, il redescendit le ver-
sant opposé et disparut à ma vue. Nous étions à nouveau
seuls, Labyrinth et moi.

Il poussa un soupir et leva la tête.

— Assez bien, oui.

Je cherchai le scarabée du regard mais ce fut en vain. Un
léger souffle de vent, glacial et ténu dans la lumière affadie

de cette fin de journée, me gifla. Je me rapprochai du barbecue.

— Racontez-moi, insistai-je.

Comme la plupart des gens qui lisent beaucoup et ont trop de loisirs, le Dr Labyrinth avait acquis la conviction que notre civilisation prenait le même chemin que la civilisation romaine. Je crois qu'il y discernait l'ébauche des mêmes lézardes qui avaient scellé le destin du monde antique, de la Grèce et de Rome, et il avait la certitude que, bientôt, notre univers, notre société mourraient comme avait péri le monde antique et qu'une période de ténèbres s'ensuivrait.

Étant arrivé à cette conclusion, le Dr Labyrinth avait commencé à songer à toutes les belles choses qui disparaîtraient à jamais dans ces convulsions. C'en serait fait des arts, de la littérature, des bonnes manières, de la musique, de tout. Et il s'était dit que, de toutes ces choses nobles et sublimes, la première à sombrer dans l'oubli serait sans doute la musique.

Parce qu'elle est fragile et délicate, facile à détruire, la musique est la chose la plus périssable qui soit.

Cela chagrinait Labyrinth parce qu'il aimait la musique et l'idée qu'un jour il n'y aurait plus ni Brahms ni Mozart, qu'il n'y aurait plus la douceur de cette musique de chambre qui évoquait pour lui les perruques poudrées à frimas, les violons à l'odeur de cire, les hautes et minces chandelles dont l'éclat se perdait dans la nuit, lui était insupportable.

Sans la musique, comme le monde serait triste et desséché ! Ce serait un monde sinistre, un monde invivable.

C'est ainsi qu'il avait fini par penser à la Machine à Sauver la Musique. Un soir, comme il était dans sa bergère, au salon, écoutant un disque au son assourdi, il avait été visité par une vision. Il avait vu tout à coup — étrange spectacle — la dernière partition, le dernier exemplaire corné et fatigué d'un trio de Schubert, gisant par terre dans un bâtiment éventré, probablement un musée.

Un avion volait dans le ciel. Les bombes tombèrent, réduisant en poussière le musée dont les murs s'effondrèrent dans un rugissant geyser de plâtras et de gravats. Et la dernière partition disparut dans les décombres avec lesquels elle pourrirait.

C'est alors que, dans la vision du Dr Labyrinth, elle ressortit des débris comme une taupe. Et, en fait, hérissée de griffes et de dents acérées, animée d'une furieuse énergie, elle avait tout à fait les apparences d'une taupe.

Si la musique possédait cette faculté, ce banal, ce quotidien instinct de survivance dont n'importe quel ver de terre, n'importe quelle taupe est dotée, il en irait tout autrement ! Si l'on pouvait transformer la musique en créatures vivantes, en animaux armés de griffes et de crocs, peut-être survivrait-elle. Si seulement on réussissait à fabriquer une Machine qui métamorphoserait les partitions en formes de vie...

Mais le Dr Labyrinth n'était pas doué pour le bricolage. Il gribouilla quelques croquis qu'il envoya, le cœur battant d'espoir, aux centres de recherches. Mais, évidemment, la plupart étaient déjà surchargés à cause des contrats militaires dont ils avaient la soumission. Pourtant, Labyrinth finit par trouver ce qu'il cherchait. Une petite université du Middle West, intéressée par ses plans, se lança avec enthousiasme dans la construction de la Machine.

Les semaines passèrent. Au bout du compte, le Dr Labyrinth reçut une carte de l'université lui annonçant que le travail marchait bien. En fait, la Machine était presque terminée. On avait procédé à un premier essai en y intégrant deux chansons populaires. Le résultat ? Deux espèces de petites souris en étaient sorties et s'étaient mises à courir dans le laboratoire jusqu'au moment où le chat les avait capturées et mangées. Néanmoins, la Machine était une réussite.

Elle lui fut expédiée peu de temps après, soigneusement emballée dans une caisse cerclée de feuillards qu'il ouvrit avec surexcitation. Combien d'idées fugitives avaient dû se bousculer dans sa tête tandis qu'il réglait les commandes pour effectuer la première métamorphose ! Il avait choisi pour l'inaugurer une œuvre inestimable – le quintette en sol mineur de Mozart. Il était resté quelques instants à en tourner pensivement les pages, l'esprit ailleurs. Enfin, il avait introduit la partition dans la Machine.

Cela avait été long. Labyrinth demeurait planté devant elle à attendre, nerveux et dévoré d'appréhension, se demandant ce qu'il trouverait lorsqu'il ouvrirait le compartiment. Préserver pour toute l'éternité la musique des grands compositeurs était à ses yeux une tâche à la fois grandiose et tragique. Comment serait-il remercié? Qu'allait-il découvrir? Quelle forme son entreprise prendrait-elle avant d'être achevée?

Il y avait beaucoup de questions sans réponses. Il était plongé dans ses méditations quand le voyant rouge de la Machine se mit à scintiller. C'était terminé. La métamorphose était consommée. Labyrinth ouvrit le panneau.

— Bon Dieu! s'exclama-t-il. C'est très bizarre!

Ce ne fut pas un quadrupède mais un oiseau qui sortit du compartiment.

L'oiseau mozart était un ravissant petit volatile fuselé dont le plumage ondulant était celui du paon. Il commença par s'éloigner en sautillant, puis revint vers le docteur, curieux et amical. Labyrinth, tremblant, se baissa, la main tendue. L'oiseau mozart se rapprocha un peu plus de lui. Soudain, il s'envola.

— Stupéfiant, murmura le vieil homme qui, patiemment, lui parla d'une voix douce jusqu'au moment où l'oiseau se posa sur lui.

Labyrinth le caressa longuement. Il était songeur. Les autres seraient-ils pareils? Comment le deviner? Il le prit avec précautions et le mit dans une boîte.

Il fut encore plus surpris le lendemain en voyant le scarabée beethoven surgir de la Machine, raide et digne. C'était celui que j'avais moi-même vu tout à l'heure grimper le long de la couverture rouge, indifférent et absorbé par ses propres affaires.

Puis ce fut la bête schubert, une sorte de jeune mouton stupide qui courait sottement dans tous les sens et ne pensait qu'à jouer.

Alors, Labyrinth commença à se poser des questions. Quels étaient au juste les facteurs de la survivance? Des plumes avaient-elles plus de valeur que des griffes ou des crocs acérés? Grand était son désarroi. Il s'était attendu à une armée de créatures massives et cuirassées, munies de dards et d'écailles qui creuseraient la terre, qui se battraient, qui joueraient des dents. Était-il dans la bonne voie? Mais qui était capable de dire ce qui était utile pour survivre ? Les dinosaures avaient été puissamment armés. Or, il n'en restait plus un seul. En tout cas, la Machine était construite. Il était désormais trop tard pour faire marche arrière.

Et Labyrinth continua. Il introduisit dans la Machine à Sauver la Musique les œuvres d'une multitude de compositeurs jusqu'à ce que le bois derrière la maison fût rempli de créatures rampantes, vagissantes, qui hurlaient et s'affrontaient dans la nuit. Beaucoup étaient si singulières qu'il en était sidéré. L'insecte brahms était un immense myriapode aplati en forme d'assiette muni de pattes innombrables rayonnant dans toutes les directions et uniformément couvert de poils. Il avait le goût de la solitude et se dépêcha de s'éloigner sans ménager ses efforts pour éviter la bête wagner qui l'avait précédé.

La bête wagner, elle, était un gros animal marqué de taches foncées. Elle avait l'air d'avoir un sale caractère et le Dr Labyrinth avait un petit peu peur d'elle, tout comme il se méfiait des bestioles bach, rondes comme des balles — il y en avait toute une floppée, grandes et petites — qu'il avait obtenues à partir des quarante-huit préludes et fugues. Il y avait aussi l'oiseau stravinsky, curieusement fait de bribes et de morceaux, et quantité d'autres.

Il les laissa rejoindre le bois en sautillant, en roulant sur eux-mêmes, en bondissant de leur mieux. Mais, déjà, il pressentait son échec. Chaque fois qu'une de ces créatures émergeait de l'instrument, il était abasourdi. Apparemment, il était incapable de contrôler le résultat. Elles lui échappaient, assujetties qu'elles étaient à une loi puissante et invisible qui s'était subrepticement substituée à lui, et cela l'inquiétait fort. Ces créatures se modifiaient sous le joug d'une force inexorable et impersonnelle que Labyrinth ne voyait ni ne comprenait.

Et cela l'effrayait.

Labyrinth se tut. J'attendis un moment mais, comme il ne faisait pas mine de poursuivre, je pivotai sur moi-même et lui fis face. Le vieil homme me regardait fixement d'un air bizarre, implorant.

— Je n'en sais guère plus, reprit-il enfin. Cela fait longtemps que je ne suis plus retourné là-bas, dans le bois. Je n'ose pas. Il se passe quelque chose, j'en suis sûr, mais...

— Si on allait y faire un tour tous les deux ?

Il y avait du soulagement dans le sourire qu'il m'adressa.

— Vous voulez bien ? J'espérais que vous me le proposeriez. Cette histoire commence à m'obséder. (Il repoussa sa couverture, se leva et, de la main, brossa ses vêtements.) Eh bien, allons-y.

Nous contournâmes la maison et nous engageâmes sur un étroit chemin qui s'enfonçait dans le bois. C'était un véritable chaos, un enchevêtrement d'herbes folles et de végétation à l'abandon. Labyrinth ouvrait la marche, écartant les branches qui nous barraient la route, se baissant et se tortillant pour passer en dessous.

— Quel drôle d'endroit, murmurai-je.

Nous avançâmes tant bien que mal pendant un bout de temps. Les bois étaient sombres et humides. C'était presque le coucher du soleil, maintenant, et une brume légère descendait, suintant entre les feuilles surplombantes.

— Personne ne vient jamais là. (Le Dr Labyrinth fit soudain halte et regarda autour de lui.) Nous ferions peut-être mieux de rebrousser chemin pour aller chercher mon fusil. Je ne voudrais pas qu'il arrive quelque chose.

— Vous semblez convaincu d'être dépassé par les événements. (Je le rejoignis et nous restâmes immobiles, plantés l'un à côté de l'autre.) Ce n'est peut-être pas aussi désastreux que vous paraissez le redouter.

Il jeta un coup d'œil furtif à la ronde et entreprit de repousser les broussailles de la pointe du pied.

— Ils nous entourent, ils sont partout, ils nous guettent. Ne le sentez-vous donc pas ?

Je hochai distraitement la tête.

— Qu'est-ce que c'est que ça ?

Je soulevai une grosse branche plus ou moins pourrie, ce qui déclencha une pluie de minuscules champignons, et la lançai au loin, découvrant ainsi une masse informe et indistincte à demi enterrée.

— Qu'est-ce que c'est ? répétai-je.

Labyrinth baissa les yeux vers le sol, les traits crispés, visiblement atterré, et se mit à envoyer des coups de pied à l'aveuglette dans cette espèce de monticule. J'étais désagréablement impressionné.

— Mais qu'est-ce que c'est, pour l'amour de Dieu? Savez-vous ce que c'est?

Il releva lentement la tête et me dévisagea :

— C'est — ou, plutôt, c'était — la bête schubert, me répondit-il dans un souffle. En tout cas, il n'en reste plus grand-chose.

La bête schubert... celle qui gambadait et batifolait comme un petit chiot étourdi avide de jouer... Je me penchai pour dégager les feuilles et les brindilles qui recouvraient le tertre. L'animal était mort, c'était indéniable. Sa gueule était grande ouverte et il était éventré. Les fourmis et la vermine étaient déjà à l'œuvre. Il commençait à sentir mauvais.

— Mais que s'est-il passé? (Labyrinth secoua la tête.) Qui est-ce qui a bien pu faire ça?

Un bruit nous fit nous retourner précipitamment. Tout d'abord, nous ne vîmes rien. Et puis, un buisson bougea et nous distinguâmes pour la première fois la silhouette de la créature. Elle devait être là depuis le début, immobile, à nous observer. Elle était gigantesque. Un corps mince et effilé, des yeux luisants au regard intense. Je lui trouvai quelque ressemblance avec un coyote mais en beaucoup plus massif. Son épais pelage était emmêlé et son museau entrouvert. Elle nous regardait en silence, nous étudiant comme si elle n'en revenait pas de notre présence.

— La bête wagner! balbutia Labyrinth. Mais elle a changé. Elle a changé! C'est à peine si je la reconnais.

Le poil de la créature se hérissa. Elle huma l'air et, subitement, battant en retraite, s'enfonça dans la pénombre. Un instant plus tard, elle avait disparu.

Nous demeurâmes muets à nous regarder, Labyrinth et moi.

— C'était donc cela, dit enfin le vieillard, sortant de son engourdissement. Je n'arrive pas à le croire. Mais pourquoi? Qu'est-ce qui...

— L'adaptation, l'interrompis-je. Si vous abandonnez dans la nature un chat ou un chien domestique, il retourne à l'état sauvage.

Il opina.

— Oui. Le chien redevient loup pour survivre. C'est la loi de la jungle. J'aurais dû le prévoir. C'est vrai pour toutes les créatures vivantes.

Mes yeux se posèrent sur le cadavre. Mon regard balaya les buissons silencieux. L'adaptation — ou quelque chose de pire. Une idée naissait dans mon esprit mais je préférais la garder pour moi pour l'instant. En parler eût été prématuré.

— J'aimerais en voir d'autres, fis-je. Cherchons.

Il se rangea à ma suggestion et nous nous mîmes en devoir d'explorer l'herbe en écartant les branchages et les feuilles. Je me munis d'un bout de bois mais Labyrinth n'hésita pas à se mettre à quatre pattes pour tâter et palper le sol, son nez touchant presque terre. Comme un myope.

— Même les enfants retournent à l'état sauvage, repris-je. Rappelez-vous les enfants-loups que l'on a retrouvés en Inde. Personne ne parvenait à croire que c'étaient autrefois des enfants normaux.

Il acquiesça. Il souffrait et il n'était pas difficile de comprendre pourquoi. Il s'était trompé, son projet avait pris une tournure qu'il n'avait pas prévue et les conséquences de son erreur commençaient à lui apparaître. La musique survivrait sous l'espèce de créatures vivantes. Seulement, il avait oublié la leçon du Paradis Terrestre : une fois qu'elle a été façonnée, la créature commence à vivre de sa vie propre, elle cesse d'être la propriété de son créateur qui n'a plus le pouvoir de la pétrir et de la diriger à son gré. En assistant au développement de l'homme, Dieu avait dû ressentir la même tristesse — et la même humiliation — que Labyrinth lorsqu'il avait vu ses créatures se dénaturer et se transformer pour les besoins de la survivance.

Le fait que ses êtres musicaux survivraient ne signifiait désormais plus rien pour Labyrinth car ce qu'il avait précisément voulu empêcher, l'avilissement de la beauté, était en train de se produire en eux sous ses propres yeux. Brusquement, il leva la tête et me contempla. Une poignante détresse se lisait sur son visage. Grâce à lui, ils survivraient, certes, mais en leur assurant la survie, il avait effacé toute signification, toute valeur à cette survie. Je m'efforçai de lui adresser un pâle sourire mais il se hâta de détourner le regard.

— Ne vous mettez pas trop martel en tête, docteur Labyrinth. Au fond, la bête wagner n'a pas tellement changé. N'était-elle pas déjà joliment farouche et hargneuse, après tout? N'avait-elle pas une propension à la violence...

Je laissai ma phrase en suspens. Le Dr Labyrinth avait fait un saut en arrière et il secouait sa main. Il avait des frissons de douleur. Je me précipitai vers lui.

— Qu'y a-t-il?

Le corps secoué de tremblements, il me tendit une main frêle et desséchée.

— Qu'y a-t-il? Que vous est-il arrivé?

Des marques rouges zébraient le dos de sa main qui enflait à vue d'œil. Quelque chose dans l'herbe l'avait piqué. Piqué ou mordu. Je baissai les yeux et lançai des coups de pied dans la terre.

Il y eut un frémissement dans l'herbe et une petite boule dorée se mit à rouler vivement vers l'abri des broussailles. Elle était couverte de piquants comme une ortie.

— Attrapez-la! me cria Labyrinth. Vite!

Je me lançai à la poursuite de l'animal en brandissant mon mouchoir, tâchant d'éviter ses piquants. Elle essayait frénétiquement de m'échapper mais je réussis finalement à la capturer.

Je me relevai. Le vieil homme avait les yeux fixés sur le mouchoir animé de soubresauts.

— C'est incroyable, murmura-t-il. Ça me dépasse. Rentrons.

— Qu'est-ce que c'est?

— Une des bestioles bach. Mais elle s'est modifiée.

Nous refîmes le chemin en sens inverse en tâtonnant dans l'obscurité. Je marchais en tête, repoussant les branchages. Labyrinth me suivait, sombre et perdu dans ses pensées. De temps en temps, il frottait sa main.

Nous traversâmes la cour et gravîmes les marches de la véranda. Labyrinth sortit sa clé, ouvrit la porte et nous entrâmes dans la cuisine. Il alluma et alla immédiatement vers l'évier pour se passer de l'eau sur la main.

Je pris un bocal de fruits vide sur le buffet et y fit précautionneusement choir la bestiole bach. La boule dorée se mit à tourbillonner avec irritation à l'intérieur du récipient dont je refermai le couvercle. Alors, je m'assis devant la table. Labyrinth continuait de baigner sa main au robinet. Nous n'échangions pas un mot. J'observai avec malaise la sphère d'or prisonnière qui cherchait un moyen de recouvrer sa liberté.

— Alors? demandai-je enfin.

— Il n'y a pas de doute. (Labyrinth se laissa tomber sur une chaise en face de moi.) Elle a subi je ne sais quelle métamorphose. Il est certain qu'elle n'avait pas de dards empoisonnés au départ. Encore heureux que j'aie joué consciencieusement mon rôle de Noé.

— Que voulez-vous dire?

— J'ai fait en sorte que toutes ces créatures soient sexuellement neutres. Elle ne peuvent pas se reproduire. Il n'y aura pas de seconde génération. Quand elles seront mortes, ce sera fini.

— J'avoue que je suis content que vous y ayez pensé.

— Je me demande à quoi elle peut bien ressembler, maintenant.

— Quoi?

— La sphère... la bestiole bach. Ce serait le test crucial, n'est-ce pas? Je pourrais la remettre dans la Machine et alors, on serait fixé. Avez-vous envie de savoir?

— A votre guise, docteur. C'est à vous de décider. Mais ne vous faites pas trop d'illusions.

Il saisit précautionneusement le bocal et nous descendîmes à la cave. Dans un coin, près des bacs à lessive, je distinguai une immense colonne de métal mat et cela me fit quelque chose. C'était la Machine à Sauver la Musique.

— C'est donc elle?

— Oui, c'est elle.

Labyrinth se mit à manipuler les commandes. Les réglages demandèrent un certain temps. Enfin, il prit le bocal et, le tenant au-dessus de la trémie, il dévissa doucement le couvercle. La bestiole bach ne mit aucun empressement à tomber dans les entrailles de la Machine. Labyrinth referma le panneau.

— Allons-y.

Il abaissa un levier et la Machine se mit en branle. Labyrinth, les bras croisés sur la poitrine, et moi attendîmes. Dehors, c'était la nuit.

Enfin, un voyant. rouge clignota. Le docteur coupa la Machine. Nous étions muets tous les deux. Ni l'un ni l'autre ne voulaient prendre l'initiative de l'ouvrir.

Ce fut moi qui finis par rompre le silence :

— Alors ? Lequel va regarder ?

Labyrinth se décida. Il fit coulisser le panneau et plongea la main à l'intérieur de la Machine. Il en sortit un mince feuillet. C'était une partition qu'il me tendit.

— Voici le résultat. Nous n'avons qu'à remonter et jouer ça.

Nous remontâmes. Nous allâmes dans la salle de musique. Labyrinth prit place devant le piano à queue et je lui rendis la partition. Il l'étudia quelques instants, impassible et inexpressif. Il plaqua un premier accord.

C'était une musique hideuse. Je n'avais jamais rien entendu de tel. C'était dénaturé, démoniaque, cela ne rimait à rien, cela n'avait aucun sens sinon, peut-être, une signification étrangère et déconcertante qui n'aurait jamais dû exister. Il me fallait faire un effort incommensurable pour me convaincre que cette cacophonie avait naguère été une fugue de Bach, fragment d'une œuvre admirablement ordonnée et universellement admirée.

— Voilà qui règle la question, dit Labyrinth.

Il se leva, saisit la partition et la déchira en petits morceaux. Il me raccompagna à ma voiture. En chemin, je me tournai vers lui :

— La lutte pour la survivance, si vous voulez mon avis, est une force plus puissante que n'importe quelle éthique humaine. Devant elle, nos précieuses morales et nos chères bonnes manières ne font pas le poids.

Il en convint.

— Dans ce cas, peut-être ne peut-on rien faire pour les sauvegarder.

— Seul le temps nous le dira,, répliquai-je. Même si cette

méthode a fait fiasco, d'autres solutions marcheront peut-être. Qui sait si, un jour, n'apparaîtra pas quelque chose que nous sommes incapables de prédire aujourd'hui?

Je lui fis mes adieux et montai dans la voiture. La nuit était totale et les ténèbres étaient de poix. J'allumai mes phares et démarrai. Il n'y avait pas d'autres autos en vue. J'étais seul et j'avais très froid.

A l'embranchement, je ralentis pour changer de vitesse. Soudain, quelque chose bougea sur le bas-côté au pied d'un gros sycomore. Je scrutai l'obscurité pour essayer de voir ce que c'était.

Un énorme scarabée était en train de construire quelque chose juste devant l'arbre. Il appliquait une boulette de boue sur une sorte de bizarre édifice de guingois. Je l'observai un moment avec curiosité mais il finit par me remarquer, s'immobilisa, fit brusquement volte-face et entra dans son espèce de bicoque dont il rabattit brutalement la porte derrière lui.

J'appuyai sur l'accélérateur.

la mort est une langue étrangère

par René DURAND

Je suis le descendant d'une grande famille de renifleurs. De déterreurs. De croque-morts. De fouille-merde, si vous voulez. En 1945, nous étions du côté de Milan, et aussi à Berlin, nous arpentions les environs de Moscou en 1953, et nous rôdions en Espagne en 1975 pour être, l'année d'après, dans la banlieue pékinoise. Enfin, quand je dis « nous », façon de parler, car l'un succède à l'un dans notre famille, et nous ne nous encombrons guère d'équipe, d'ami, ni même de confident.

Je pourrais remonter plus loin dans le grand concasseur du passé, citant quelques dates et quelques lieux pris au hasard sur notre registre, et remonter jusqu'à mon plus lointain ancêtre connu, qu'on devait prendre pour un sorcier et qui, tout compte fait, devait être sûrement un peu, il y a... Au fait, il y a combien d'années? Bah, peu importe! nous nous en foutons bien, nous autres, du temps qui passe! Nous, ce qui nous a toujours intéressé, c'est les morts. Certains morts, pas tous : nous ne pouvons pas tout faire, car nous sommes, je l'ai déjà indiqué, seul. Nous choisissons, vite, et nous agissons seul. Et cela depuis des temps immémoriaux, comme le disent les mauvais poètes, depuis que mon aïeul René Durand a commencé à s'occuper de cela, la mort, parce que n'est-ce pas? il n'y a rien d'autre qui importe. Alors les René Durand se sont succédé l'un à l'un, de père en fils, tellement désespérés et d'autant plus forts, pour

49

combattre la mort. C'est notre guerre, la guerre des René Durand. Et elle connaît de drôles de péripéties, aux visages changeants, de cinglants échecs et d'exaltants succès. A coups de langue.

Je m'appelle René Durand donc, et je suis titulaire de la chaire d'étymologie indo-européenne à l'Université Catalane Han-Ryner sur le campus d'Espira de l'Agly, près de Perpignan, en bordure du gigantesque aéroport international de La Llabanère (j'aime bien voir les grands avions un peu patauds, les fins oiseaux de proie aux ailes en delta, ou les longues fusées intercontinentales et interplanétaires passer dans des silences tourbillonnants ou des rugissements d'effort au-dessus du village!). Espira est resté un peu comme il était avant qu'on y installe l'Université, un village paysan, champêtre, aérien, pour parler comme Jules Verne : des ruelles sinueuses, des rues bon enfant, une église admirable et des arbres, de la vigne, de la rocaille. Les bâtiments du campus bien sûr, mais aussi les vieilles maisons du village. Et la nôtre, la vieille maison familiale que j'ai héritée de mon père, contre toute attente, après que mes demi-frères et mes demi-sœurs eurent quitté le pays sans jamais me connaître pour aller travailler à Luxembourg, la capitale administrative de l'Europe, et ne plus jamais revenir.

En face, il y a le Canigou. Qui ne l'a pas vu n'a rien vu. Par une espèce de miracle, du grenier qui me sert de bureau, comme de notre chambre, nous l'avons à chaque instant devant nos yeux. Comme il fait toujours beau ici, ou presque (au grand dam des paysans), tous les jours renouvellent cette extase : l'apparition du massif, au petit matin, comme suspendu dans l'air catalan. C'est comme notre prière à tous les quatre : les deux petits, matinaux, accourent pieds nus dans notre chambre, Adée ouvre les fenêtres, et nous le regardons, silencieux, souriants, avec cet inaltérable contentement que donne la contemplation de l'éternité.

Pour résumer tout cela, dans cette vie publique, nous allons bien, merci !

Que l'éternité soit catalane donc, plus personne ne peut en douter ! et quand j'aurai fini de rédiger ce mémoire en forme de court récit pour amuser les gens, on comprendra que j'en suis le dépositaire, à l'intérieur de ce mont des merveilles au nom de Canigou; mais il est temps d'essayer de dire clairement les choses.

Donc, ma vie, comme la réalité, est multiple, et entre toutes ces existences qui sont les miennes, seulement quelques ponts : la recherche scientifique, l'étymologie, la mort, quelques idées généreuses qui se sont transmises de René Durand en René Durand, la Catalogne, et Adée, qui sent très bien tout cela à défaut de bien le connaître ou même de le comprendre.

Rapide survol d'une histoire privée

Le premier René Durand, passionné d'étymologie et de thanatologie (on ne disait pas comme ça à l'époque), commença artisanalement, avec un seigneur de Montluc bien connu dans l'histoire de France, qu'il avait rencontré un jour, dans les environs de Tautavel, près d'Espira, qu'il avait suivi et récupéré en 1577 — faisant preuve d'une rare intuition et d'un sens de l'observation peu commun à cette époque, la lecture des *Commentaires* dudit seigneur et de nombreux livres consacrés à ces temps troublés nous l'ont suffisamment démontré —, pour le ramener dans notre laboratoire. Le laboratoire ! C'est l'arrière-petit-fils de ce premier René Durand qui a donné ce nom à notre repaire sous le Canigou, aux alentours de 1680. Grand voyageur, il y accueillit le fameux Marillac, promoteur des dragonnades, le non moins illustre Maréchal Villars, qu'il avait vu à l'œuvre contre les Camisards, et pour finir, donnant là l'impulsion qui manquait à notre recherche, leur maître à tous, le dit Roi-Soleil qu'il récupéra non sans difficulté, à force d'astuce et de monnaie, avec l'aide, déjà, de sa compagne, que je considère affectueusement comme mon aïeule, bien qu'elle ne soit pour rien dans ma conception. Le laboratoire s'agrandissait, se perfectionnait, toujours aussi clandestin, et certains René Durand, qui avaient le goût du luxe, ne manquèrent pas d'en faire un lieu d'élection, aux meubles choisis, aux riches tentures et du meilleur confort. L'obligation que nous nous sommes faits de tout coucher par écrit montre même que certains de mes ancêtres ne se sont pas contentés de ces

coucheries verbales, et il me semble que la pierre dure reten-
tit encore de halètements et de cris qui ne doivent rien à la
peine ou à la douleur.

Survolons rapidement ce qu'il reste d'histoire, en signa-
lant que nous n'avons pas oublié Robespierre (eh oui !),
Napoléon III, Thiers, quelques sous-fifres intéressants, pour
en arriver, via Mussolini, Hitler et Staline, jusqu'à aujour-
d'hui où vraiment je ne manque pas de matière première :
mon grand-père peut se flatter des trois précédents, mon
père a commencé avec Trujillo (nous allons de plus en plus
loin maintenant !), je suis né quand il a ramassé Salazar, et
maintenant, vu tous les noms que j'ai mis en fiches, j'ai du
travail sur la planche (ça, c'est un vilain jeu de mots : c'est
vraiment sur des planches, de superbes planches faites avec
le bois des arbres du Canigou, que nous opérons !).

Les innombrables congrès, colloques, rencontres ou sym-
posiums d'étymologie sont pour moi inappréciables : ils me
permettent de voyager (gratuitement !), de renifler, voire
même de récupérer. Le peu d'heures de cours (trois heures
hebdomadaires) auxquelles je suis astreint fait en outre que
je peux me rendre plusieurs jours et plusieurs nuits par
semaine au laboratoire sous la montagne : en hélicoptère, ce
n'est vraiment pas loin. Souvent, nous emmenons les enfants
chez leurs grands-parents, qui ont eu la bonne idée d'accepter de prendre la boulangerie du campus tout proche, et
Adée vient avec moi. Je lui ai tout dit, elle n'a pas tout
compris, le côté scientifique de la chose lui est étranger,
l'aspect moral lui paraît un peu farfelu, mais elle m'aime, je
l'aime, et ça suffit.

Dans l'œil d'une Quatrième Guerre mondiale, immobile, muette, impassible.

Je travaille sur les dernières trouvailles de mon père,
tandis qu'attendent, au frigo, mes premières recrues. Adée
est, comme d'habitude, émerveillée : pour elle la grotte du
laboratoire est comme un palais des mille et une nuits, un
rêve architectural, l'extase faite décor et confort. Comme
à chaque fois qu'elle vient ici, dans la douceur de l'atmosphère artificielle qui y règne, elle s'est mise entièrement

nue : ça l'amuse de se montrer ainsi, sans voiles, devant ces types-là, qui ont eu le monde dans leurs mains, et qu'on peut, ma foi, imaginer encore vivants. Moi, je la trouve reposante, de la voir ainsi se promener, longue, mince, souriante, quand je lève mes yeux cernés au-dessus de mon travail : pas besoin de beaucoup de mots, alors, mes coucheries à moi sont conjugales, chers ancêtres, et je vous assure que ça n'a rien de bourgeois !

Donc, le monde, comme nous le savons tous, est en guerre : une guerre civile totale et ralentie, depuis des années, au nom de l'État et du Capital, quelles que soient les idéologies. Alors notre travail, à nous, les René Durand de père en fils, est plus que jamais utile, me semble-t-il. Et il faut qu'il aboutisse. Jusqu'alors, on a eu quelques résultats individuels, appréciables certes, mais limités, mais il nous faut obtenir des solutions globales, des résultats collectifs, et si ce n'est pas moi, ce sera le René Durand qui me succédera, le demi-frère de nos enfants, le fils qu'Adée ne connaît pas, ni aucune autre femme, et qui commence à naître dans la partie la plus cachée du laboratoire où mon épouse n'a jamais pénétré.

Bien. Voici donc Franco, Hitler, Mussolini, Staline. Vivants encore, selon les normes scientifiques. Disons, une trentaine d'années après les événements douloureux que nous avons connus (entendons-nous bien : après la disparition prétendue du plus grand des trois, le Généralissime). Dans la grotte immense, ruisselante de lumière, les quatre corps, vieillis, allongés côte à côte, main dans la main, nus, qui... respirent paisiblement, dans un coma éternel et, il faut bien le dire, artificiel. Et derrière mes machines audiovisuelles, les tuyaux de métal qui pénètrent durement à l'intérieur de leurs crânes, les trois écrans qui me parlent, familièrement, car nous nous connaissons depuis si longtemps maintenant : le démontage systématique, le décorticage étymologique de la tyrannie.

Théoriquement, c'est au point : nous savons tout sur la tyrannie, nous connaissons les moyens étymologiques de la créer, et si je veux, je pourrais commencer à devenir dictateur à partir de demain et l'être dans le délai d'un an. Ce n'est pas ce que je veux : les René Durand ne se sont pas succédé pour devenir dictateurs, mais pour découvrir pratiquement les moyens d'en finir avec la tyrannie, au nom d'une recherche plus générale, plus métaphysique (étymologues, nous n'avons pas peur des mots !), la mort de la mort !

Mes prédécesseurs ont eu quelques résultats, donc. Pas spectaculaires, plutôt intimistes, au niveau du petit groupe, du village, du canton : tout à fait local ; l'esprit de clocher, diraient, je pense, les chroniqueurs. J'ai relevé ces quelques exemples, transcrits en français contemporain, dans notre mémorial :

« 18 Juin 1580 : un prêtre est arrivé ce matin avec des soldats. Il a commencé à prêcher, à nous exhorter à la macération, à la pénitence. Puis il a demandé que nous dénoncions les impies, les athées, les infidèles, les renégats. Il a dit qu'il confesserait toute la journée. Je me suis précipité le premier à l'église, et me suis littéralement jeté dans le confessionnal. Au début, il avait de la morgue. J'ai dû faire vite. Au bout d'une heure, livide, nauséeux, craintif, il sortait de la boîte où les gens venaient cracher leurs petites décrépitudes quotidiennes dans le giron d'un corbeau infaillible, rameutait les soldats et quittait le village sans un mot. Je crois que nous ne serons plus inquiétés. »

(C'est le premier succès de notre entreprise familiale ; j'avoue que j'ai beaucoup d'affection pour le premier de nous tous et que son anticléricalisme farceur m'a toujours amusé.)

« Août 1710 : j'arrive des Cévennes. C'est sûr, j'aurai Villars : j'ai des informateurs proches de lui. En attendant j'ai utilisé Marillac avec quelque succès : les Camisards sont indomptables. »

« 1871 : retour de Paris. Je n'ai rien pu faire. Trop de gens, de tous les côtés. J'ai pu sauver ma peau : une poignée de Versaillais m'avaient coincé, et allaient m'expédier *ad patres* au pied de mon matériel. Il était branché. Heureusement qu'ils n'étaient qu'une poignée. Je frémis à l'idée que tout aurait pu être détruit, et qu'ils auraient pu me jeter, moi et mes boîtes, à la fosse commune avec les autres communards. »

« Août 1945. *(C'est mon grand-père)* : ça a été dur, mais j'ai mes deux monstres. Le Prussien était un peu calciné, quant à l'autre, eh bien, nos amis transalpins n'y sont pas allés de main morte. Mais c'est un matériel de premier ordre. Avec ça, je suis sûr de deux résultats : le suicide étymologique et l'empêchement verbal. Je vais expérimenter l'un et l'autre » (Pépé était un peu fou, très farfelu. Il avait le goût du danger. C'était l'époque des purges. Tout le monde, tout d'un coup, avait été FFI, on fusillait et on tondait à tout bout de champ de braves femmes à la cuisse un peu chaude ou des jeunes égarées qui avaient pactisé avec les nazis. Un jour, à la mairie, il y avait une séance publique de tonte. Mon aïeul René Durand aimait bien la fille qu'on allait humilier. Il a écrit dans notre journal du laboratoire qu'elle avait « les cuisses aussi douces que la terre noire au-dessus de la rivière ». Pour qui sait ce que ça veut dire, danser entre ces cuisses-là devait être l'antichambre du paradis ! Donc, il est arrivé, avec deux grands sacs en bandoulière, s'est mis au fond, a parlé à voix basse dans ses sacs, y a farfouillé discrètement, et au moment de commencer, des gens se sont mis à pleurer, d'autres à hurler, certains sont partis, quelques-uns ont embrassé la fille et l'ont emmenée avec eux, et le maire a fait son meilleur discours sur le pouvoir, la répression, la vengeance, la tyrannie, le pardon et toutes ces choses. Et mon grand-père note : « Je suis reparti en rigolant doucement. » Quelque temps après, mon père avait déjà pris le relais, pépé – oui, mon père m'en a toujours parlé en l'appelant ainsi – s'est suicidé en parlant, comme il l'avait décidé, et mon père, selon ses dernières volontés, l'a incinéré en haut du Canigou et jeté ses cendres dans la tramontane.)

Moi, maintenant, après les travaux de mon père sur quelques dictateurs considérables du monde latin, je crois avoir franchi une étape décisive : je suis sûr d'être arrivé à la possibilité de résurrection après un suicide oral, et ce avec un appareillage audio-visuel miniaturisé et quelques séquences verbales relativement simplifiées : il me reste à l'expérimenter, et si ça marche, il y a quelques dictatures dans le monde qui risquent d'avoir du fil à retordre avec les résistants des Mouvements de Libération.

Mon fils étymologique naît demain, dans la grande
« cuve » (façon de parler : c'est mon aïeul du temps des
alchimistes qui a trouvé ce nom, et pour le lecteur passionné de S-F que je suis, je trouve qu'il n'est pas si mal !),
le corps est fait, et le cerveau a reçu toutes les impulsions.
Voilà, un morceau de ma langue, un fils du langage, façonné
à partir de moi, de mon corps, de ma semence, par la
parole et la bouche, et quelques trucs scientifiques.
Demain, il sort, il va aller à Espira qu'il connaît parfaitement, s'installer dans une vieille maison de la famille dont
nous sommes seuls à savoir l'existence, et trouver sa place
d'étudiant à l'Université. J'espère qu'il aura la chance de
rencontrer une fille comme Adée. En tout cas, je suis sûr
qu'il fera du bon travail. A partir de demain.

Moi demain, je serai parti, avec Adée. Les enfants res-
teront chez leurs grands-parents. Il vaut mieux qu'ils ne
fassent pas connaissance de leur demi-frère. Quant à les
emmener avec nous, pure folie !

L'Ouganda. Ce pauvre petit pays défraye la chronique
depuis bien longtemps. Mon père a consigné dans notre
mémorial quelques faits qui l'avaient frappé, dans le dernier
quart du vingtième siècle. J'ai lu le reste dans les micro-
fiches historiques du labo. Amin III y règne, selon l'exemple
de son père et de son grand-père, premiers empereurs de
l'empire ougandais, auto-proclamés « fils de Dieu ». Une
petite facétie de ces empereurs, transmise de père en fils,
pour donner une idée du régime : on prend cent prisonniers
(prisonniers pourquoi ? nul ne le sait trop, on emprisonne
n'importe qui, à propos de n'importe quoi, et nul n'est à
l'abri, ni les collaborateurs ni la famille de l'empereur),
on les met en rang, à la queue-leu-leu, on fait étendre
sur le sol le premier du rang, on ordonne au deuxième
de lui écraser la tête à coups de marteau, et ainsi de suite
jusqu'au dernier, qui quant à lui, doit s'abattre lui-même,
toujours à coups de marteau ; le premier empereur
faisait ensuite jeter les cadavres au Nil ; ses suc-
cesseurs, plus pratiques, en ont tant soit peu organisé
le ramassage et assuré l'exploitation sous forme de
nourriture : arme politique de première valeur dans un

pays à la gestion catastrophique, dévasté par la famine.

On nous a bien accueillis : j'ai une bourse de l'État européen pour étudier à loisir l'étymologie des peuples ougandais, et le ministre de l'Éducation, qui a lu mes travaux officiels, a poussé la gentillesse jusqu'à écrire une lettre manuscrite à l'empereur afin qu'il accepte d'avoir plusieurs entretiens avec moi afin que je puisse étudier son propre langage. Amin III s'est senti très flatté, et nous voilà traités comme des princes. Je dois dire qu'il n'est pas insensible au charme simple d'Adée, et qu'il meurt sûrement d'envie de faire les honneurs de sa couche impériale à cette femme blanche si rougissante, qui lui a baisé les doigts boudinés en baltutiant les formules protocolaires.

J'ai entendu parler Montluc, Marillac et Villars, Napoléon III et Thiers, Hitler, Mussolini et Staline, Trujillo et Franco, Papa Doc et Pinochet. Leurs mots, leurs paroles, leur langue, mes ancêtres et moi sommes allés au bout de leur exploration. Nous savons la langue. NOUS SAVONS LA LANGUE. Voilà la vraie science, la science de la vérité, l'agonie de la mort.

L'empereur ougandais est un bel homme. Le genre « noir magnifique » comme on dit dans les salons européens antiracistes. Grand, svelte, le visage régulier, vraiment séduisant. Toujours entouré d'une dizaine de femmes, les unes en tenue léopard, les autres vêtues à l'européenne, de corsages largement déboutonnés, de mini-jupes ou de vagues robes transparentes à même le corps. A la fois son harem et ses gardes du corps. J'ai été impressionné. Adée aussi. Pour le banquet en notre honneur, le soir de notre arrivée, il nous fit porter des vêtements africains, deux longues robes blanches, immaculées, opaque pour moi, fine et transparente pour ma femme. Elle ne la mit qu'après de longues hésitations, et rougit de voir les mamelons pointer sous le tissu et l'épaisse toison faire une tache brune au milieu de son corps.

Amin III la plaça d'autorité près de lui, tandis que l'on m'indiquait une place en face, au milieu de deux de ses plus jeunes femmes, vêtues exactement comme Adée.

Elles sentaient bon, serrées près de moi. Des effluves légèrement enivrants flottaient dans la pièce. Le repas fut long, joyeux, copieusement arrosé.

— J'ai fait venir le vin de chez vous, monsieur Durand. Tout un avion !

L'empereur jubilait. C'était vrai. Du vin d'Espira, millésimé. J'étais en train de me laisser avoir. Ça m'aurait arrangé de me trouver devant une brute, un barbare en guenilles. Et ce type-là, en dehors de l'horreur qu'il faisait régner chez lui, était un homme raffiné, s'exprimant dans un français parfait, n'avait rien qui puisse choquer un Européen. Derrière moi, mes appareils, qu'il avait regardés avec une réelle curiosité scientifique, fonctionnaient depuis le début du repas, mais je doutais du résultat : Amin avait réussi à impersonnaliser sa parole et celle des siens. J'en étais sûr maintenant : c'était un maître de la langue, un homme redoutable. La tyrannie, ici, n'était pas ce que je croyais.

On nous a donné deux chambres. Communicantes, mais séparées. Prévoyant, l'empereur. Il pense que son charme opérera sur Adée, tandis que je me laisserai aller aux séductions de ses femmes. Possible, après tout. En attendant, Adée s'est écroulée tout habillée sur son lit et dort, un peu soûle, tandis que je travaille.

On est venu me chercher. L'empereur me demande. Ça m'embête de laisser Adée seule, mais je ne peux pas refuser.

En fait, ce n'est pas l'empereur qui me reçoit, mais un de ses collaborateurs, l'un de ceux qui m'a accueilli à la descente d'avion, et qui a toujours été présent ensuite, toujours très proche d'Amin et jamais très éloigné de moi. Il se présente :

— Muhammat S'Ogol, étymologue.

Il voit ma surprise.

— Nous suivons vos travaux de près, monsieur Durand, de très près. Il y a des choses que nous devinons plus que nous les comprenons; par exemple, ceci : où allez-vous, chaque semaine, seul, ou avec votre épouse, au moyen de votre hélicoptère ?

L'étymologie est une discipline totale. Je sais me contrôler. Mais là, j'ai du mal à le faire. La pièce est ronde, pleine d'appareils, et S'Ogol n'est pas seul : il y a deux gardes outrancièrement armés dans le fond. Pour employer un cliché que j'ai décortiqué longuement à l'université, j'ai l'impression que je me suis jeté dans la gueule du loup. Et Adée ?

S'Ogol continue.

— Nous croyons deviner, parce que nous faisons un peu la même chose que vous. Nous vous offrons de travailler avec nous, René... Vous permettez que je vous appelle René ? En toute liberté et sécurité : on exagère beaucoup ce qu'on dit sur l'Ouganda. Tout ça, c'est du passé. Amin III est un homme cultivé et raffiné, comme vous avez pu le constater.

(Je pense que les nazis aussi, dans un certain sens, étaient cultivés. Et Thiers. Et Louis XIV. Et les généraux d'Amérique du Sud à la fin du vingtième siècle.)

— Je vous remercie, Muhammat (vous permettez que je vous appelle Muhammat ?), mais je dois décliner votre offre. Nous collaborerons tant que vous voudrez, mais vous savez très bien que je ne puis rester. J'ai tout laissé en Europe, et je n'ai qu'un visa d'une semaine.

— Nous pouvons arranger tout cela.

— Non, vraiment non. Je ne suis là que pour un court voyage de travail, pas pour un long séjour.

— Comme vous voudrez, René, je n'insiste pas. Parlons donc de ce travail !

Du temps a coulé. Ils sont très en avance. A la pointe extrême de l'étymologie. Très près de mes travaux secrets. J'en ai des sueurs froides. Eux aussi SAURAIENT-ILS LA LANGUE ? Auraient-ils un renifleur dans mon genre, caché quelque part dans les montagnes ougandaises ? Et ma mission alors ? Et Adée ?

Elle n'est plus dans sa chambre. A la place, il y a deux des épouses de l'empereur.

— Nous sommes à votre disposition, monsieur Durand.

— Où est ma femme ?

— L'empereur voulait la voir.

— Conduisez-moi près d'elle !

— Cela nous semble impossible actuellement. L'empereur voulait être seul.

Bien. Tout ça est très clair, et moi je suis très calme. Faire un scandale ne m'avancerait pas à grand-chose. A l'heure qu'il est, Adée se fait peut-être violer. Et encore ! il n'y a qu'à attendre. Et travailler. Exploiter ce que j'ai déjà ramassé.

— Bon. Laissez-moi. J'ai du travail.

— Comme vous voulez, monsieur Durand. Nous devons toutefois vous avertir qu'en votre qualité d'hôte impérial envoyé avec toutes les recommandations du gouvernement européen, vous avez droit à une escorte personnelle et que nous sommes cette escorte, à votre entière disposition, prêtes à satisfaire tous vos désirs.

Ben voyons ! C'est ce qu'on appelle « la résidence surveillée », même si les surveillants sont de très séduisantes et peu farouches Africaines.

La nuit a passé. Elles m'ont laissé seul dans ma chambre bouclée. Adée n'est pas revenue : inutile de faire des hypothèses à ce sujet. J'ai étudié tout le matériau enregistré depuis mon arrivée. Surtout ce que m'a dit S'Ogol. Savait-il que je l'enregistrais ?

Je suis sûr de plusieurs choses : ils sont assez près de moi, ils ont des renifleurs, mais pour eux, LA MORT EST ENCORE, ET POUR LONGTEMPS, INDÉCHIFFRABLE. Tout au plus peuvent-ils prolonger les comas, allonger les agonies, maintenir les moribonds, ralentir les vieux.

S'Ogol est venu me chercher.

— Nous avons des choses à vous montrer, René. Voulez-vous venir ?

— Où est ma femme ?

— Elle vous attend.

— Qu'a-t-elle fait cette nuit ?

— L'empereur désirait la voir, et on ne refuse rien à l'empereur !

— Ce ne sont pas les paroles d'un étymologue, Muhammat !

— Et pourquoi pas, René ? Il y a plusieurs écoles étymologiques. La vôtre est anarchiste, pas la nôtre.

La grotte ! La même grotte qu'au Canigou ! Des tables de bois ! Les appareils, les écrans !... Et les cadavres !

— Ceci vous surprend, n'est-ce pas ?

— Vous êtes bien équipés.

— A peu près aussi bien que vous, je crois. Est-ce que ça ressemble à votre installation montagnarde ?

— Pourquoi vous mentir : c'est la même !

— Vous nous flattez !

Comment ont-ils su ? Savent-ils où j'en suis ?

— Je peux peut-être vous rassurer : nous avons bien sûr des... « espions » en Europe, comme l'Europe en a chez nous. Mais nous avons, aussi des savants. Et ces savants-là... savent aussi bien que vous l'importance du langage, de l'étymologie. Ετυμος, « la vérité », n'est-ce pas, René ? Mais nous n'avons jamais pénétré dans le Canigou : nous avons simplement déduit ou inventé.

Et ils avaient bien travaillé !

C'est alors que j'ai vu les deux corps, que j'ai crié, et que je me suis précipité. Sur deux tables de bois, côte à côte, nus, Amin Ier, avec plein de tuyaux et de fils, les yeux vitreux, en coma dépassé ; et Adée, qui dormait.

Deux filles en blouse blanche m'ont maîtrisé.

— Que lui avez-vous fait ?

C'est Amin III qui a répondu, du fond de la salle.

— Rien. Rien pour le moment. Même pas l'amour. Vous avez une femme fidèle, monsieur Durand, c'est une chose rare. Comment dit-on chez vous : réflexe bourgeois ? ou amour fou ? Elle a refusé toutes mes avances, et pourtant j'ai fait tout ce que j'ai pu, et je sais que je ne lui suis pas indifférent. Mais elle a résisté jusqu'au bout. Alors nous l'avons amenée ici.

— Lâchez-moi, lâchez-moi tout de suite. Je me plaindrai à mon ambassade.

C'est ridicule. Ce que je dis est absolument ridicule : reprends-toi, René, reprends-toi.

Amin III sourit puis continue :

— Voilà donc un petit marché. Pas très honnête, bien sûr : vous savez, dans le commerce...

Du silence. Pas de réactions : la guerre commence. Amin enchaîne :

— ... Vous vous installez chez nous et vous nous dîtes où en sont vos travaux. Nous croyons que la mort n'est plus tout à fait une langue étrangère pour vous : vous nous apprenez cela, jusqu'à ce nous ayons pu, quant à nous, correctement ressusciter mon grand-père, que vous avez parfaitement reconnu, n'est-ce pas ? Votre épouse nous sert de gage. Nous vous la rendrons en parfait état... de marche, à la fin de vos travaux.

Bon. C'est clair. Gagner un peu de temps. M'approcher des deux corps allongés, brancher mes appareils portatifs clandestins, et marmonner des choses inintelligibles pendant cinq minutes. Répondre une première fois, avec mes amplis spéciaux miniaturisés. Insulter même.

— Comment vous croire ? Ressusciter Amin Ier ! Même si j'en étais capable, je ne le voudrais pas. J'ai une haine personnelle contre les tyrans, monsieur l'Empereur, contre votre grand-père, contre votre père, contre voux. Je suis venu chez vous pour continuer à décortiquer ce langage de la tyrannie et de l'horreur. Et j'ai pris mes garanties : vous le savez bien, vous savez que je suis intouchable !

— Vous ! Pas votre femme !

Ils restent calmes, trop calmes. Il faut qu'ils s'énervent : je n'ai pas fini mon travail.

S'Ogol est un peu moins fort que moi. Ça m'a coûté, mais j'y suis arrivé : Amin III a éclaté : une fureur grandiose ! Alors, j'ai pu agir, parler, faire fonctionner mes appareils. Et tuer. C'est la première fois. Ça a parfaitement marché : Adée et Amin Ier sont morts ensemble. Quand ils s'en sont aperçus, ils se sont un peu affolés. Amin III s'est effondré sur le cadavre définitivement froid de son aïeul, tandis que S'Ogol s'occupait de tout : habiller Adée, le cercueil capitonné, quelques bagages, mille excuses, beaucoup de cadeaux, et un avion spécial pour la Llabanère. Il n'y a que le personnel navigant, moi et le cercueil contenant Adée, dans l'avion. Une hôtesse voulait me tenir compagnie. J'ai demandé qu'on me laisse seul avec ma femme. Ils ont très bien compris.

Alors, j'ai ouvert mes sacs, j'ai préparé mes mots, et je me suis mis au travail.

Maintenant, je sais que je peux suicider quelqu'un. Bien sûr, ils m'avaient facilité la tâche : toutes les conditions étaient réunies, je n'aurais pas mieux préparé mes deux cobayes. Le langage a gagné. Il a maintenant emprise sur les forces de la vie et de la mort. Tant pis pour Amin père, fils et petit-fils, ils m'échappent, j'en aurai d'autres. Maintenant, il faut que je sorte Adée de ce suicide oral. Elle est morte par la langue, elle va ressusciter par la langue. Tout se traduit en mots, en phonèmes, en étymons : du langage des bêtes à la botanique en passant par le contrôle du cerveau, et donc de la vie et de la mort. Tout. Qui sait cela sait tout, et peut tout (enfin, presque !). NOUS SAVONS LA LANGUE. Nous savons la langue et déterrons les morts illustres pour la savoir mieux encore, pour pouvoir davantage. Tout, si possible. ET TRADUIRE LA MORT.

Nous arrivons. Le Canigou. La Llabanère. L'avion se pose. Je devine, derrière les grandes baies du hall de l'aéroport, que nous sommes attendus. Un tas de personnages officiels : l'ambassadeur d'Ouganda, mon Ministre, etc.

« Regrets éternels... et blablabla... »

Alors, je vais pouvoir dire :

— Mais non, monsieur le Ministre, ma femme n'est pas morte. Simplement l'apparence de la mort... Un choc émotionnel, verbal, trop fort... Du repos...

J'espère que l'ambassadeur d'Ouganda va s'étrangler.

Un léger soupir près de moi. Celui d'une jeune femme qui se réveille. Sous la toile blanche, les seins se soulèvent à peine. Adée, je t'aime. Elle ouvre les yeux. Elle sourit. On s'embrasse. Pouvez-vous imaginer ce que sont ses lèvres, douces, fondantes, parfumées, sa bouche, profonde, moelleuse, sa langue... ?

Je lui raconte tout. Elle retient son rire. Il faut jouer la comédie encore un moment. Jusqu'à la maison. Où les enfants nous attendent. Sous le Canigou, mon fils étymologique a commencé son travail. Nous ne mourrons jamais.

ghur r'hut urr

par Robert F. YOUNG

(Extrait des archives de l'Institut de Recherches sur les OVNI, section historique.)

Edward Gibbon

Lausanne, Suisse, 27 juin 1787

J'ai eu la présomption de noter le moment de la conception (de l'*Histoire de la décadence et de la chute de l'Empire romain.*) Je commémore présentement l'heure de la délivrance finale. C'est dans la nuit du 27 juin 1787 entre onze heures de relevée et minuit que j'ai mis la main aux dernières lignes de la dernière page dans le jardin de ma campagne. Après avoir posé ma plume, je fis quelques pas dans l'allée d'acacias d'où le regard plonge sur le paysage, le lac et les monts. Il faisait doux, le ciel était serein, les eaux réfléchissaient le globe argenté de la lune, la Nature tout entière faisait silence (1) (...) Peu familier que je suis de certains phénomènes dont on glose fort mais que les savants contemporains n'évoquent guère, je n'ai pas l'outrecuidance de m'estimer qualifié pour décrire l'étrange objet que je distinguai soudain et qui, surgissant au-dessus de l'horizon à l'est, traversa le ciel

(1) *Edward Gibbon : Memories of My Life,* annoté par Georges Bonnard, copyright © 1969, Funk & Wagnalls. Avec l'autorisation de l'éditeur.

en se dirigeant vers l'ouest. Néanmoins, ayant été le seul observateur, je n'ai d'autre recours que faire l'effort de le décrire. Ma première conjecture eût été qu'il s'agissait d'une grosse et curieuse étoile si cet objet n'avait été si bas par rapport au plan céleste et si sa vitesse de déplacement n'avait pas été nettement perceptible. Je ne tenterai d'évaluer ni sa hauteur ni ses dimensions et me contenterai de dire que l'une et les autres étaient considérables. Les branches des acacias l'occultèrent lorsqu'il passa au-dessus d'eux. Je pus ensuite l'observer longuement derechef tandis qu'il s'éloignait vers l'ouest. Ce fut alors que je notai qu'il ressemblait de façon assez remarquable à un gigantesque encrier qui aurait été vidé de toute l'encre qu'il contenait. Après qu'il eut disparu à ma vue, je méditai quelque temps, me demandant ce qu'était cet objet, d'où il venait et où il allait. Mais mon esprit était trop plein de ma délivrance pour nourrir longtemps d'aussi vastes spéculations et, finalement, mes pensées revinrent aux préoccupations dont elles s'étaient brièvement détournées (...) Je ne dissimulerai point la joie initiale que me faisaient éprouver ma liberté reconquise et peut-être aussi l'établissement de ma renommée. Mais mon orgueil s'abattit promptement et la mélancolie envahit mon esprit à l'idée que j'avais définitivement pris congé d'un vieil et plaisant compagnon *(la Décadence et la Chute)* et que, quel que puisse être le sort mon ouvrage, la vie de l'historien ne peut être que courte et précaire... (1)

(Extrait des « Notes » de Edward Gibbon retrouvées en 1995 et publiées en 1996.)

James Boswell (2)

Fontainebleau, France. 27 juin 1787

Deux années et demie ont maintenant passé depuis ses obsèques (celles de Samuel Johnson) en l'abbaye de Westminster mais le` chagrin que je connus à Londres

(1) — *Ibid.*

(2) — Biographe de l'écrivain Samuel Johnson, 1740-1795 (N. D. T.)

en ces jours gris et funèbres s'attarde encore dans mon cœur. Mon but, en me rendant sur le continent, est de mettre mes pas dans les empreintes laissées par les siens lors du seul voyage qu'il fit, comme l'atteste le journal où il jetait ses impressions de route. Il avait pour compagnons Mr et Mrs Thrale. A ce jour, j'ai visité l'École Militaire, l'Hôtel de Chatlois, l'église St-Roch, la place Vendôme, le Palais Royal, les Tuileries et le Palais-Bourbon. A présent, j'ai gagné Fontainebleau qu'il décrivit en ces termes succincts dans son journal : *Forêt touffue, très étendue. Manucci a assuré notre hébergement. Le paysage est plaisant d'aspect. Pas de collines, quelques ruisseaux, une seule haie. Je ne me rappelle pas avoir vu de chapelles ni de crucifix en cours de route. Des pavés et des alignements d'arbres. (Note : Personne ne marche à pied à Paris hormis les gens du commun.)* (1)

En rédigeant cet Epilogue, il n'est point dans mes intentions d'ajouter quoi que ce soit à ses descriptions concises et mordantes, ni de m'étendre sur ma pérégrination mais bien plutôt de me réimbiber, en voyant ce qu'il vit, en touchant ce qu'il toucha, en entendant ce qu'il entendit et en humant les senteurs et les parfums qui, jadis, caressèrent ses narines, de l'*éther johnsonien* que je connus si bien durant les trop courtes années où je le fréquentai. Ce qui est nécessaire à un Épilogue tel que celui que je me propose d'écrire, ce n'est pas le concret mais l'intangible. Néanmoins, il s'est produit cette nuit un événement d'une nature si insolite que je craindrais de desservir la postérité en me refusant à suspendre ma tâche avouée le temps voulu pour en rendre comte. J'espère, donc, que les nombreux admirateurs de Samuel Johnson me pardonneront cette digression.

Arrivé par la diligence ce jourd'hui tard dans la soirée, je trouvai à me loger aux environs de Fontainebleau mais ressortis aussitôt afin d'abreuver mes regards de ces tableaux bucoliques, de ces scènes champêtres dont ses regards, autrefois, s'étaient abreuvés. Minuit approchait quand je laissai derrière moi les dernières maisons du

(1) *Life of Samuel Johnson* par Boswell, annoté par C. P. Chadsey, © 1946, Doubleday & Company, Inc.

bourg. Le globe lunaire dispensait son éclat d'argent sur les champs, les forêts et les petites mares. L'arôme des fleurs endormies embaumait l'air et le ciel était d'une pureté remarquable. Jamais auparavant je n'avais vu les autres luire d'un tel éclat et je crois que ce fut leur magnificence inouïe qui attira mon attention vers le firmament plutôt que vers la terre. Or, cette inclination momentanée me donna bientôt l'occasion de noter un singulier phénomène astronomique qui, sans cela, fût passé inaperçu à mes yeux, à savoir la soudaine apparition à l'est d'un objet céleste traversant le ciel en direction de l'ouest. Très vite, son mouvement le plaça à la verticale de la prairie au milieu de laquelle je m'étais immobilisé afin d'observer ledit objet. Jusqu'à cet instant, je croyais à moitié qu'il s'agissait d'une étoile filante. Mais les étoiles filantes ne se déplacent pas selon un plan horizontal et, qui plus est, celle-ci — si c'était bien une étoile — possédait des caractéristiques ne correspondant pas le moins du monde à un tel phénomène. Ce n'était pas simplement un point lumineux dont l'éclat était voué à disparaître à bref délai de l'obscure face du ciel : au contraire, son lustre radieux, loin de s'atténuer, semblait gagner en intensité. En outre, l'objet donnait l'impression de se propulser grâce à quelque mystérieux moyen.

Bien qu'il se mût entre la Lune et la Terre, il était encore beaucoup trop haut dans le ciel pour que je pusse me faire une idée quelque peu précise de sa forme. Cependant, lorsqu'il passa au-dessus de moi, j'eus nettement le sentiment qu'il était artificiel et non point naturel. Pendant un moment fugitif, je fus effleuré par l'idée insolite que je contemplai une version fort agrandie de la lanterne qui sert d'enseigne à la taverne de *La Mitre* et j'eus durant quelques secondes une vive image mentale : je me voyais traverser en compagnie du Dr Johnson la rue caillouteuse par un soir d'été et faire une brève halte avant d'entrer dans l'établissement pour m'asseoir à notre table devant l'âtre.

Cela ne dura qu'un court instant mais j'en fus tout étourdi et pendant le temps qu'il me fallut pour sortir de mon état de stupeur, l'étrange objet astronomique acheva sa course dans les cieux et s'évanouit au loin dans les ténèbres de l'ouest sans que je sache quelle était sa destination ni quelle était la cause de son voyage.

Mais je ne me suis que trop longtemps attardé sur ce curieux événement. Revenons-en au héros de cet Épilogue.

Il disait du Trianon...

(Extrait de l'*Épilogue Johnsonien* de Boswell, découvert en 1985 et publié pour la première fois en 1986.)

Ishmael Plunkett

27 juin 1787. Par 43° de latitude nord et 38° de longitude ouest. 10 h 51 de la nuit.

Ai aperçu une étrange étoile traversant le ciel d'est en ouest. Paraissait perdre de l'altitude. S'est peut-être abîmée en mer avant d'atteindre côte Amérique du Nord. Sinon, m'inquiète du bien-être de mes compatriotes car le soussigné maître d'équipage n'a jamais observé pareille étoile filante auparavant. Son aspect général évoque un gigantesque harpon.

L'exanthème de l'officier en second s'est aggravé. Il...

(Extrait du journal de bord du *Nantucket*.)

Benjamin Franklin

Philadelphie, 27 juin 1787

Cher docteur Gurney,

Connaissant le vif intérêt que vous portez aux phénomènes célestes, j'aimerais vous relater, alors que le souvenir en est encore frais dans ma mémoire, une observation que j'ai faite ce soir même entre 9 heures et 10 heures de relevée comme je rentrais chez moi après une longue et épuisante séance à l'Assemblée.

La lune venait de se lever et je fus tellement saisi par la singulière finesse de texture de sa lumière que je regardai vers l'est en quête d'un espace découvert qui m'eût permis de contempler le globe argenté lui-même pour réjouir ma vue. C'était, en vérité, une vision radieuse. Pourtant, ce ne fut pas la face accidentée de notre satellite qui arrêta bientôt mon regard mais un autre corps céleste qui était apparu à l'est. Je présumai que celui-ci était une étoile filante mais comme jamais une étoile n'avait voyagé à une aussi grande vitesse et à une aussi basse altitude, je compris que ma supposition initiale était fausse. A dire vrai, à peine eus-je respiré à trois reprises, me sembla-t-il, que cet étrange objet, ayant dépassé la Lune, s'éleva au zénith escorté d'une flamme bleue tout comme un cerf-volant tirant son fil derrière soi.

Je continuai à scruter le ciel sans me soucier des passants dont aucun n'avait conscience du spectacle dont le firmament était le théâtre et me rendis compte peu à peu que ce fil était fixé à un objet similaire et que les deux phénomènes constituaient un gigantesque cerf-volant qui, ayant rompu ses amarres, avait atteint, poussé par les vents terrestres, l'éther où il était le jouet d'autres vents sur la nature desquels les mortels que nous sommes ne peuvent que se perdre en conjectures. Mais de quelle terre lointaine venait-il ? Qui l'avait construit et lâché ?

Ce sont là des questions auxquelles vous pourrez peut-être répondre. Cependant, avant de vous laisser y méditer, je voudrais ajouter deux détails. Pendant le temps que dura mon observation, l'objet perdit considérablement d'altitude et sa trajectoire dévia de l'ouest au sud-ouest, ce qui me conduit à penser que, peu après, il atterrit ou s'écrasa contre les montagnes qui se trouvent dans cette direction. Mais c'est là une pure hypothèse et, de plus, il est fort possible que cette longue et pénible journée que j'ai passée à l'Assemblée et l'échec que j'ai essuyé en m'efforçant de trouver un terrain d'accord entre les diverses factions œuvrant à jeter les bases d'une constitution viable m'aient fatigué au point de dénaturer mes perceptions.

Très sincèrement à vous.

B. Franklin

(Lettre inédite de Franklin à son ami le Dr Gurney,
qui n'a apparemment jamais été expédiée.)

Davy Crockett

Ce que son papa lui raconta alors qu'il était âgé de 8 ans et qu'il a écrit de sa propre main :

Une fois, Davy, son papa lui a dit comme ça, un jour quand tu auras grandi, tu rencontreras un ours et faudra qu'tu t'battes avec lui. Alors, écoute ton papa qui va te raconter comment il s'est battu avec un ours quand tu n'avais encore qu'un an et comment il lui a tellement fait peur à c'te bête qu'elle s'est enfuie en emportant sa tanière avec.

J'me rappelle bien, même si j'le savais pas à l'époque, qu'c'était la veille du jour qu'ils ont signé la constitution fédérale à Philadelphie (1). T'étais encore qu'un petiot marmouset qu'ta maman portait dans les bras mais avant longtemps t'allais avoir besoin de peaux à t'mettre sur l'dos et sûr qu'j't'aurais pas laissé aller sans. C'est comme ça qu'j'suis allé dans les collines ce jour-là avec ma pétoire pour chasser le cerf.

J'ai pas tardé à arriver au mont Chiltenooke, je l'ai grimpé et j'ai redescendu par l'autre côté mais sans voir un seul maudit cerf, pas même un lapin. Finalement, j'suis parvenu à c'te clairière dans les bois, sacrément grande qu'elle était, et juste au milieu y'avait ce gros arbre. Le plus gros de tous les sacrés arbres qu'j'avais jamais vus depuis ma naissance, parole. Tout droit, qu'il était, très haut et il n'avait pas de branches et son écorce était toute scintillante, pareille à de l'argent comme la rivière quand la lune brille. Et il y avait quelque chose dedans, tout en haut, qu'arrêtait pas de faire hmmmmmm hmmmmm hmmmmm comme un essaim de bourdons sauf que c'était différent.

Alors moi, j'm'avance dans la clairière pour mieux voir et c'est à ce moment que j'm'ai rendu compte qu'il était vraiment grand, ce sacré arbre-là. Cinq hommes auraient pas pu faire le tour de son tronc en se tenant par les mains et il avait trois grosses racines qui sortaient de ses côtés, comme qui dirait, et qui se recourbaient jusqu'au sol, et ça le faisait paraître encore plus grand. Et juste au-dessus de par terre, il y avait un trou carré si grand qu'un homme fait aurait pu entrer à l'intérieur sans baisser la tête. Du coup, j'ai pensé comme ça que ce maudit arbre était entière-

(1) 16 septembre 1787.

ment creux. Comme je m'apprêtais à le vérifier, voilà-t-y pas que le plus gros ours que j'ai jamais vu depuis ma naissance sort d'ce trou *en marchant sur ses pattes de derrière*.

Pourtant c'était pas seulement le fait qu'il marchait comme un homme qui m'a estomaqué : c'était aussi les vêtements qu'il avait. Eh oui... il avait des vêtements. Pas le genre de vêtements ordinaires que les gens civilisés comme nous portent mais des choses brillantes comme les armures que les chevaliers mettaient quand ils galopaient par monts et par vaux, sauf que c'étaient rien que des pièces et des morceaux. Sur les épaules, autour de la taille et aux pieds. Et puis, sur la tête, y avait comme une jatte à l'envers. Et attention : il était pas du tout effrayé comme le sont parfois les ours, c't'ours-là. Il s'est avancé vers moi, grand comme ça qu'il était, en grognant « Grrrr-rutt-urr » et en se tapant sur la poitrine qu'était pareille à une futaille. « Grrrr-rutt-urrrr ! », il arrêtait pas de répéter. Le grondement le plus saugrenu que j'ai jamais entendu sortir de la gueule d'un ours depuis ma naissance.

Mon fusil était armé et prêt à faire feu. Au quatrième « Grrrr-rutt-urrrr ! », j'lui ai tiré une décharge en plein dans la poitrine. Mais la balle l'atteignit à l'épaule, là où il y avait un morceau d'armure, et elle ricocha. Moi, j'me suis dit comme ça que j'étais un homme perdu. Eh bien, pas du tout ! Tu sais pas ce qu'il a fait ce sacré poltron d'ours, Davy ? Il m'a regardé en ouvrant de grands yeux pendant une seconde comme s'il n'arrivait pas à croire que j'avais fait une chose aussi terrible qu'essayer de le tuer, et puis il a tourné les talons, il est rentré dans sa tanière en courant et il a fermé la porte.

Comme je t'le dis : il a fermé la porte. J'mettrais ma main au feu qu't'as encore jamais entendu causer d'une tanière d'ours avec une porte. Pourtant, celle-là en avait une. Et t'as jamais vu une porte pareille depuis qu't'es au monde. Elle ressemblait tellement au reste de l'arbre que c'était à peine si on la distinguait. Et aucune puissance terrestre n'aurait pu l'ouvrir, sauf un éclair, peut-être. Je le sais parce que, après avoir réarmé mon fusil, j'ai essayé. Mais rien à faire. Elle était solidement fermée, c'te porte.

Comprenant qu'c'était pas la peine de traîner par là plus

longtemps, j'suis rentré à la maison et j'suis revenu le lendemain dans l'intention d'me cacher dans les bois jusqu'à ce que l'ours l'ouvre lui-même, cette sacrée porte, alors, j'lui aurais logé une balle entre les deux yeux. Mais — et c'est la partie la plus insensée de toute l'histoire, Davy —, quand j'suis arrivé là-bas, *ce maudit arbre était parti et l'ours avec!* A l'endroit où il s'était trouvé, on aurait dit que quelqu'un avait allumé un grand feu de joie qu'aurait brûlé le sol en profondeur.

Voilà ce que son papa raconta à Davy Crockett alors qu'il était âgé de 8 ans et qu'il a écrit de sa propre main.

(Extrait de l'*Almanach Davy Crockett* de 1836 retrouvé en 1991 et qui fait partie de la collection de l'illustre membre de la Société des Amis de Davy Crockett, Jason W. Wheeling.)

Ghur r'hut urr

DATE (selon leur calendrier) : 17 septembre 1787
DATE (selon notre calendrier) : 7ᵉ Ra du 3ᵉ Ruhen : XP : P
DESTINATAIRE : Son Éminence Harut Ul Farr, Superviseur, Département d'Histoire extraplanétaire Glandis 6
EXPÉDITEUR : Ghur R'hut Urr, Ingénieur de Recherches itinérant 8B Ionosphère, Planète X-YB-4K
  TRANSMISSION : Jaune bande rouge

L'humble sujet de Son Éminence Harut Ul Farr soussigné s'est rendu selon ses instructions dans le secteur de la planète X-YB-4K où les transcopes indiquaient qu'un Événement d'une Ampleur Considérable était en train d'intervenir. Agissant toujours selon ses consignes, le soussigné s'est posé dans une région isolée dans un rayon d'au moins 800 sétads du site E.A.C. et a mis en marche les trans-capteurs du vaisseau. L'indécision et les désaccords d'une partie des protagonistes du E.A.C. ont retardé celui-ci qui ne s'est réalisé qu'il y a un bref laps de temps. En dehors de cela, la mission s'est déroulée sans incidents, exception faite d'une rencontre avec un indigène furieux qui a failli coûter la vie au soussigné sujet de Son Éminence.

72

Le signataire va incessamment partir pour sa mission suivante. Auparavant, il transmet la transcription ci-dessous du document constitutif du E. A. C. :

Nous le peuple des États-Unis, en vue de former une union plus parfaite, d'établir la justice, d'assurer la tranquillité domestique, de pourvoir à la défense commune, de développer la prospérité générale et d'assurer à nous-mêmes et à notre postérité les bienfaits de la liberté, ordonnons et établissons la présente Constitution pour les États-Unis d'Amérique.

ARTICLE PREMIER

...

(Extrait des documents de Glandis 6 offerts à la Terre à l'occasion de la première rencontre d'échanges culturels terro-glandisiens.)

fille et robot
avec des fleurs

par Brian ALDISS

Nous enlevions le couvert du déjeuner.

— J'ai commencé une nouvelle histoire, laissai-je tomber fortuitement.

Marion posa les tasses à café sur l'égouttoir, me serra sur son cœur et s'écria :

— Espèce de vieux cachottier ! Quand as-tu commencé ? Ce matin, lorsque je suis allée faire les courses ?

J'acquiesçai en souriant, ravi d'entendre sa voix vibrer sous l'effet du plaisir et de l'excitation. Je me sentais bien. Marion est une fille merveilleuse, quelqu'un sur qui on peut toujours compter. Cette nouvelle lui procurait-elle autant de joie qu'elle voulait bien le laisser croire ? Après tout, elle n'a jamais témoigné de beaucoup d'enthousiasme pour la science-fiction... Qu'importe ! Elle m'aime suffisamment pour ressentir avec autant d'intensité que moi l'exaltation qui prélude à chaque nouvelle histoire.

— J'imagine que tu ne tiens pas à en parler ?

— C'est une histoire de robots, je ne t'en dirai pas plus.

— O. K. Tu as le temps de l'avancer un peu pendant que j'en termine avec cette vaisselle. Nous ne sommes pas à dix minutes près, non ?

Notre intention était d'aller rendre visite à nos amis Tacot qui habitent de l'autre côté d'Oxford. En dépit de leur nom, les Tacot n'ont pas de voiture, et pour fêter la vague de chaleur, nous avions prévu de les emmener pique-niquer dans la campagne avec leurs deux enfants. Au moment où je quittai la cuisine, le moteur de réfrigérateur se remit à gronder.

— Le voilà qui recommence ! maugréai-je.

Je lui flanquai un coup de pied qui se révéla sans le moindre effet.

— Si tu n'étais pas là pour me le rappeler, je ne l'entendrais même pas ! dit Marion.

Marion est comme ça; rien ne la trouble jamais ! Sa présence est le plus merveilleux des calmants, bien que ses charmes n'agissent pas toujours dans ce sens.

— Je vais demander à un électricien de venir voir ce qu'il a dans le ventre, dis-je. A moins que tu ne trouves un certain attrait à ce ronflement. Tout ce qu'il sait faire, c'est de rester là à pomper de l'électricité comme un...

— Un robot ? suggéra Marion.

— Voui.

Je pénétrai sans hâte dans le salon-cabinet de travail. Offrant sa panse à la caresse du soleil, Nikola était vautrée sur le tapis dans une position invraisemblable. L'esprit ailleurs, je m'approchai et la chatouillai de façon à la faire ronronner. J'en retirais une satisfaction aussi vive que la sienne, elle le savait bien. D'une certaine façon, Nikola et Marion se ressemblaient beaucoup. A ce point précis de mes réflexions, un brusque malaise m'envahit.

J'allumai un cigare Van Dyke et retournai dans la cuisine. La porte du jardin était ouverte. Je m'accotai au montant.

— Pour une fois, j'ai bien envie de te dire de quoi il s'agit, annonçai-je. Je me demande si l'idée vaut la peine d'être développée.

— Crois-tu que je puisse y changer quelque chose en l'écoutant ?

— Tu pourrais avoir des suggestions à faire.

Ses yeux m'observaient. Peut-être songeait-elle à quel point il serait peu judicieux de sa part de faire appel à moi pour rattraper une mayonnaise, même si je réussis les beignets comme personne.

— En tout cas, ton idée ne s'en portera pas plus mal, dit-elle prudemment.

— Un type a écrit un article stupéfiant sur la manière dont les idées naissent de la conversation. Un Allemand du siècle dernier, son nom m'échappe — Von Kleist, je crois. Sans doute t'en ai-je déjà parlé. Autant que l'écriture, explique-t-il, la conversation révèle en nous des ressources dont nous ne soupçonnions même pas l'existence.

— Comme tes robots, par exemple ?

— J'en ai trop abusé pour qu'ils me réservent encore des surprises. Je devrais sûrement les laisser tomber. Jim Ballard a raison, ce sont de vieux machins démodés, usés jusqu'à la corde.

— Si tu m'expliquais ton idée ?

Je cessai donc de tourner autour du pot pour en arriver à l'essentiel.

— Une planète terramorphe, Iksnivarts, déclare la guerre à la Terre. Ses habitants jouissent d'une longévité extrême, si bien que la durée du voyage jusqu'à la Terre — quatre-vingts ans — ne représente rien pour eux. Chez les Terriens, au contraire, l'espérance de vie excède rarement quatre-vingts ans. Soucieux de surmonter ce terrible handicap, ils décident d'utiliser des robots pour porter la guerre sur Iksnivarts. Superbes, meurtrières, ces créatures sont à l'abri des grandeurs et défaillances humaines. Elles tirent leur énergie de batteries solaires et sont pratiquement immortelles. Leurs têtes abritent des mini-ordinateurs qui surpassent en intelligence le cerveau de tout individu proto-plasmique.

» Chargée de ces robots, une armada est envoyée sur Iksnivarts. A bord se trouve une officine dont le personnel est exclusivement composé de robots affectés à l'entretien de leurs compagnons. En plus de cette force de frappe entièrement automatisée, la flotte possède l'arme suprême qui permet d'emprisonner dans les rochers tout l'oxygène contenu dans l'air d'Iksnivarts. En quelques heures l'atmosphère de la planète sera rendue irrespirable.

» Vingt ans plus tard, une flotte étrangère rend visite au système solaire. Au passage, elle arrose la Terre, Vénus et Mars de poussières radioactives, décimant ainsi soixante-dix pour cent de l'humanité. Mais rien n'arrête la flotte robo-tisée. Après un voyage de quatre-vingts ans, l'objectif est atteint. L'arme anti-oxygène se révèle d'une redoutable efficacité. Les habitants d'Iksnivarts succombent à une asphyxie foudroyante et sans résistance aucune, la planète tombe aux mains de l'armée de métal. Les robots se posent, transmettent à la Terre le message annonçant leur victoire et consacrent les dix années suivantes à enterrer scrupuleusement les cadavres.

» Le temps que leur message parvienne au système solaire, la Terre se remet tout juste du cataclysme. Les hommes sont prodigieusement intéressés par cette lointaine conquête. Ils envisagent de dépêcher sur Iksnivarts un petit vaisseau pour rendre compte de la situation, mais inquiets de la réaction des robots, nouveaux maîtres de la planète, ils décident de n'envoyer qu'un équipage de deux pilotes humains en état d'hibernation artificielle. Victimes d'une erreur technique, un premier vaisseau, puis un second sont mis hors de course. Un troisième vaisseau parvient à destination. Graham et Josca, les deux pilotes, émergent de l'inconscience glacée de l'hibernaclé pour guider leur vaisseau à travers un long périple dans l'atmosphère irrespirable d'Iksnivarts.

» Lorsque après quatre-vingts autres années passées en hibernation ils ramènent les photos sur Terre, les hommes découvrent un monde couvert d'énormes cités et les signes d'une intense activité technologique progressant à pas de géant. Il y a de quoi se sentir menacé.

» Un détail, pourtant, les rassure. Conçus dans un objectif purement militaire, il semble que les robots aient adopté des mœurs plus pacifiques. Pris à l'aide de lentilles télescopiques, de nombreux clichés montrent des robots solitaires s'adonnant à la cueillette des fleurs sur les collines et les montagnes de leur planète. Un certain gros plan, en particulier, sera reproduit par les moyens d'information des cinq continents. Il représente un robot de douze pieds de haut, à l'aspect terrifiant, les bras chargés de fleurs. Ce devait être le titre de mon histoire : *Robot avec des fleurs.*

Marion avait fini la vaisselle. Debout dans notre minuscule jardin, nous suivions paresseusement du regard les acrobaties des oiseaux autour du vieux clocher de l'église voisine. Nikola nous rejoignit sans se presser.

— Ton histoire est terminée? demanda Marion.

— Pas tout à fait. A la fin se produit un coup de théâtre. Le cliché du robot avec les bras chargés de fleurs est mal interprété. L'exemple même du sophisme tragique. Les robots sont *obligés* de détruire les fleurs car elles produisent de l'oxygène et l'oxygène rouille le métal. Ainsi, loin d'être dicté par une sensibilité tout humaine à la beauté, leur geste correspond à un souci parfaitement mécanique d'efficacité. Dans quelques années, les robots reviendront sur Terre pour balayer l'humanité.

Dans la cuisine, le réfrigérateur se réveilla à nouveau. Je me retins de le signaler à Marion. Le soleil jouait sur son visage et pour rien au monde je n'aurais voulu le déranger.

— C'est assez ingénieux, dit Marion. Tu devrais pouvoir en tirer quelque chose de passable. Ce n'est pas vraiment *toi*, c'est tout.

— Je ne crois pas que j'en viendrais à bout.

— Elle me rappelle cette histoire de robot de Poul Anderson — *Épilogue*, c'est ça?

— Possible. Toutes les histoires de S-F se ressemblent. Tu en trouveras une autre presque semblable dans le recueil de Harry sur les robots.

— Tout ce qu'écrit Harry ne peut pas être mauvais, dit-elle sentencieusement.

Entre nous, c'était une vieille plaisanterie.

— Et j'aimerais bien l'avoir écrit, répliquai-je sur le même ton. Non, la raison véritable qui m'empêche de terminer *Robot avec des fleurs* est d'une autre nature. Peut-être Fred Pohl ou Mike Moorcock l'aimeraient-ils suffisamment pour la publier, mais cette histoire me laisse sur ma faim. Pas seulement parce qu'elle est un plagiat.

— Je me souviens de t'avoir entendu dire que tu pouvais dépister un plagiat rien qu'à son absence totale d'émotion.

Dans mon petit bassin, les poissons rouges ondulaient sous les feuilles de nénuphars. Nikola et Marion ne les quittaient pas des yeux. C'est vrai qu'elles se ressemblent. Je les regardai avec une tendresse tempérée d'exaspération.

Sa dernière remarque révélait qu'elle poursuivait cette conversation uniquement par égard pour moi — absence totale d'émotion.

— Tu étais censée m'interroger sur les raisons de ma déception.

— Écoute, chéri, si nous devons vraiment passer prendre les Tacot, il est temps de nous mettre en route. Il est déjà 3 heures moins 20.

— Quand tu voudras.

— J'en ai pour une seconde.

Elle me gratifia d'un baiser avant de s'enfuir.

Marion avait raison, aucun doute là-dessus. C'était à moi seul d'aller au fond des choses si je voulais être satisfait du résultat. Je m'assis auprès de Nikola et suivis des yeux les évolutions des poissons rouges. Autour du clocher, les oiseaux s'affairaient à nourrir leurs petits. Ils avaient si peu d'étés à vivre !

En un sens, ce que je voulais dire ne lui était pas destiné. La raison m'en était trop personnelle. J'avais passé de nombreux étés délicieux en compagnie de filles toutes plus délicieuses les unes que les autres, et Marion était venue. Marion, la plus douce, la plus compréhensive, celle avec laquelle je me sentais moi-même, libre enfin d'exprimer ma pensée. C'était un privilège dont je ne tenais pas à abuser; il me fallait bien garder certaines choses pour moi seul.

Aussi hésitais-je à lui en révéler plus que je l'avais fait jusqu'à présent. Devais-je lui avouer que mon bien-être actuel m'incitait à n'éprouver que mépris pour une histoire de robots, si habilement ficelée fût-elle? Mon cœur était en paix; qu'avais-je à faire d'une guerre interplanétaire avec son cortège d'impondérables et d'impossibilités? Quand Marion m'entourait de douceur et d'affection, que pouvait m'apporter la dérision glacée d'une armée de robots envers l'humanité?

En y réfléchissant bien, la science-fiction est-elle autre chose que le produit des contradictions et des instincts belliqueux de l'homme? J'en avais la conviction. Que traduisait le propos dramatique de la plupart de mes nouvelles, sinon la morosité de ma propre existence avant l'arrivée de Marion? Mais ce genre d'affirmation ne saurait être faite à la légère.

Je me demandai soudain si l'idée du robot occupé à cueillir des fleurs n'était pas un message de mon inconscient, m'enjoignant d'inverser mes tendances agressives, d'enfreindre ce conseil de Shakespeare :

Délaissant les frivolités soyeuses et mensongères,
Enrichissons les armuriers...

Le temps était venu pour moi de mettre sur la paille mes armuriers imaginaires et de me laisser aller au badinage. Mon inconscient voulait abolir la guerre, mais mon ego terrorisé devait mener l'histoire à son terme en préparant les robots à un avenir plus brutal encore. Toute fiction n'est en fin de compte qu'une tentative pour rationaliser nos conflits.

Et si mes ennuis étaient réellement terminés... en admettant même que cette période d'euphorie ne soit qu'un répit... N'avais-je pas le devoir de déposer les armes quand l'occasion s'en présentait? De remercier les dieux et mes patients lecteurs en leur proposant une histoire optimiste et, m'échappant de mes fortifications, de leur montrer — une fois n'est pas coutume — un futur dans lequel il ferait bon vivre?

Non, ceci était beaucoup trop embrouillé pour souffrir une explication. Et je m'y retrouvais suffisamment pour me passer de cette explication.

Je me levai. Allongée au bord du bassin, la chatte tentait sa chance en plongeant une patte sous les feuilles de nénuphars. Je traversai la cuisine, entrai dans le bureau. Sans cesser de penser au pique-nique, je vidai mes poches de leur contenu superflu et les remplis d'objets indispensables. Il faisait un temps splendide. Le soleil était chaud et le ciel presque sans nuage. Charles et moi aurions rudement besoin de bière fraîche. Les Tacot apportaient le panier, mais un doute m'assaillit brusquement au sujet de la bière.

Je sortis quatre boîtes du réfrigérateur. Inéluctablement, il renâcla. Il se faisait vieux. Moins de dix ans, mais vous ne pouvez pas attendre d'une machine qu'elle dure éternellement. Sauf dans les livres. Sur le papier, il est facile de faire voyager une machine animée dans un vaisseau spatial pendant plusieurs années-lumière; jamais elle ne vous laissera tomber. Votre inconscient y veillera. Peut-être suffirait-il d'écrire des histoires frivoles pour encourager votre inconscient à fonctionner sur un mode optimiste, comme il le faisait il y a dix ans, et plus.

— Je prends juste quelques bières!

Marion venait de faire son entrée. Elle avait changé de robe et mis du rouge à lèvres. Je pensai que sans elle, aucun pique-nique digne de ce nom ne serait vraiment réussi. Il y a des filles comme ça. Et les enfants Tacot allaient l'adorer, eux aussi.

— Il y a un ouvre-boîtes dans la voiture, dit-elle. Et qu'est-ce qui te tracasse autant au sujet de cette histoire?

Je partis d'un éclat de rire.

— Au diable mon 'histoire! C'est simplement qu'elle est à mille lieues de la réalité.

Je ramassai les boîtes, passai mon bras autour de ses épaules, et l'entraînai vers la porte en récitant:

· — Comment puis-je vivre sans Toi, comment puis-je oublier Ta douceur et l'amour qui nous unit? Adam et Ève, toi et moi.

— Ce vieil Adam a tout de même pensé à faire provision de bière. Laisse-moi prendre mon sac. Comment ça, à mille lieux de la réalité? Nous n'avons pas encore de robot, mais nous avons un réfrigérateur qui n'en fait qu'à sa tête.

— Exactement. Et qu'est-ce qui m'empêche de mettre le réfrigérateur dans une nouvelle de S-F, et ce soleil radieux, et toi, au lieu d'une horde de robots sans attrait? Tu vois cette petite chatte qui tente vainement d'attraper les poissons rouges? Dans quelques heures, le jour va mourir et elle l'ignore. Elle ne sait pas davantage que la vie lui réserve autre chose que le chaud soleil d'un après-midi d'été. Nous le savons, mais pourquoi, rien qu'une fois, ne puis-je m'inspirer de ce bref après-midi au lieu de décrire des siècles de misères dans un monde sans oxygène, sans chat et sans fille aguichante?

Nous franchîmes la porte d'entrée. Je la fermai et suivis Marion en direction de la voiture. Les Tacot devaient commencer à trouver le temps long.

Elle se mit à rire. Marion me connaît suffisamment pour

discerner mon humeur au ton de ma voix. Je plaisantais à moitié, et elle s'en doutait.

— Hé bien, dit-elle, qu'est-ce que tu attends? Écris-la, ton histoire! Je sais que tu peux le faire. Et n'oublie rien!

Elle souriait, mais je ne m'y trompai pas. Un défi, voilà ce que c'était.

Je posai soigneusement les boîtes sur la banquette arrière. La voiture démarra et nous filâmes sur la route écrasée de soleil.

l'agonie dans le jardin

par Thomas MONTELEONE

Jésus-Christ fendit la foule en jouant des coudes. Il mit le pied sur un escalator et descendit au niveau inférieur du métro. Au moment où l'escalier se mettait en branle, il entendit le grondement de la rame. Quand il arriva en bas, un homme se trouva devant lui, lui bloquant le passage.

— Imbécile! cria le Christ, tout en sachant que l'homme ne pouvait l'entendre. Ôte-toi de mon chemin!

L'homme ne bougea pas, et continua de fumer sa cigarette. Le Christ leva le bras et enfonça son coude dans la nuque de l'homme. Comme au ralenti, l'homme plongea en avant, les bras étendus, la figure inexpressive. Il tomba sur le quai la tête la première, la surface rugueuse lui écorchant la peau.

Va-t'en au diable, pensa le Christ, puis, regardant la foule : *Vous méritez tous la même chose.*

Il enjamba l'homme à terre; mais avant qu'il puisse s'éloigner, l'homme se relevait et se remettait à fumer sa cigarette comme s'il ne s'était rien passé.

Il ne s'était rien passé.

Toujours la même chose, pensa le Christ. *Ils ont tout oublié. Je perds mon temps.*

Il tourna le dos à l'escalator et se dirigea vers une des voitures de la rame. Elle était pleine de voyageurs en sueur, mais il se fraya un chemin entre deux passagers sans visage. Il leur marcha sur les pieds, leur enfonça les coudes dans les côtes; ils ne sentirent rien. Leur insensibilité ne faisait qu'accroître le mépris qu'ils lui inspiraient. Autrefois, il y avait eu un temps où il avait souhaité un contact permanent avec eux, la fin de cette coexistence immortelle. Il s'était donné tant de mal. Comme il avait été fou.

Quelques voyageurs descendirent à l'arrêt suivant, lui faisant un peu de place. Il regarda son reflet dans la vitre de la fenêtre. Ses jeans de cuir noir luisaient, enserrant ses hanches et ses jambes, le faisant paraître plus grand qu'il ne l'était. La chemise de soie scintillait de fraîcheur lisse, le long col rabattu sur le blouson de cuir. Son image lui plut. Il pourrait même...

Un villageois en guenilles brunes tourna le coin d'une rue et lança un cocktail molotov sur un petit groupe de soldats britanniques. Les soldats se dispersèrent tandis que l'essence prenait feu, quelques-uns se roulèrent dans la poussière pour éteindre leur uniforme en flammes. Deux autres épaulèrent leur fusil automatique et leurs balles clouèrent l'assaillant contre un mur encore à moitié debout. L'homme resta figé contre le mur pendant une fraction de seconde avant de s'écrouler dans la poussière, laissant une traînée de sang sur les pierres qui accompagnèrent sa chute. Deux autres soldats vidèrent leur chargeur dans les maisons environnantes, déchiquetant les fenêtres et les portes, faisant exploser la brique et le mortier. Au bout de la rue, des sacs de grains s'entassaient pour former une barricade. Des hommes et des femmes tapis derrière la barrière tiraient et jetaient des pierres sur les soldats. Un prêtre catholique traversa la rue en courant, pour s'éloigner de la barricade et fut abattu par la balle d'un tireur d'élite protestant. Dans le ciel sombre au-dessus de la bataille, des croix se dressaient comme des cadavres calcinés, debout.

Jésus cligna des yeux et se retrouva adossé contre la paroi de la voiture de métro. Il essuya la sueur de son front, tachant la manche de cuir de son blouson. Une nouvelle crise. Ces damnées visions, plus fréquentes, plus nettes à chaque fois. Son cerveau était disséqué, chaque circonvolution étirée, chaque fissure fouillée par quelque scalpel métaphysique. Et à chaque coup de lame, un nouveau cauchemar se libérait des tissus pour s'enfuir en hurlant.

Il quitta le métro à la station Sainte-Catherine, écœuré par le mouvement de la rame. L'escalator l'amena au niveau supérieur et au labyrinthe de glissoirs qui sillonnaient l'avenue des magasins. Il en prit un jusqu'au carrefour, où un immense dôme géodésique dominait tous les autres bâtiments. C'était le Phylatron, une structure à multiples niveaux, chaque niveau brillant à la lumière d'un soleil différent. A l'intérieur se trouvait la flore de tous les mondes que les vaisseaux stellaires avaient atteints.

Le Christ entra par la porte principale, sans se soucier du portillon-robot qui n'était pas programmé pour détecter des êtres comme lui. Il se promena le long des divers niveaux du dôme, absorbant les explosions de formes et de couleurs vives qui représentaient la flore de la galaxie. Les plantes semblaient prises au piège, étranglées par le verre qui les entourait. Malgré tout, elles s'épanouissaient dans des climats contrôlés et des atmosphères soigneusement entretenues.

Comment ont-ils pu le faire? pensa le Christ. *Les choses même qui leur ont apporté la vie pendant des millions d'années.* Toutes tuées quand ils n'avaient plus eu besoin d'elles. Ce qui n'était pas mort, ils le mettaient sous globe, pour la joie des curieux.

Il s'arrêta devant un écriteau et lut : *Le dernier olivier vivant, Terre.* L'arbre était vieux, rabougri. Ses branches s'étendaient du tronc en schémas complexes, se terminant par de tendres bourgeons verts. Jésus remarqua qu'il n'y avait pas d'olives sur les branches. Peut-être n'était-ce pas la saison, mais il préféra penser autrement. *A quoi bon, pensa-t-il, faire pousser des fruits que personne ne mangera jamais?* Ou des graines qui ne seront jamais semées ni plantées?

Le Phylatron était plein de prisonniers, tous condamnés à survivre à leurs geôliers. C'était un châtiment cruel pour le crime d'existence.

Le Christ se pencha par-dessus la barrière et cracha dans le terreau artificiel. Puis il se retourna et se glissa dans la foule, à la recherche de la porte de sortie. *Au diable ce foutu lieu,* se dit-il. *Je me demande pourquoi je suis venu ici. Autant m'en aller. Ailleurs. Fuir, simplement.*

En quittant le dôme, il vit les bâtiments de la ville se

dissoudre lentement, les gens dans les rues fondre en informes masses de cire. La ville devint un village de huttes aux toits de chaume, les passants des glissoirs se transformèrent en sauvages nus, à la peau noire. Il y avait un homme blanc debout parmi eux; il portait un chapeau de paille beige et des lunettes à monture d'acier. Ses traits étaient aigus et sa figure étroite : de minces lèvres exsangues, des yeux gris ternes et un nez pointu. A milieu d'eux, il avait l'air d'un héron. L'homme tenait une croix dans sa main levée et gesticulait, la désignant tout en parlant. Leur dieu était faux, disait-il. Croyez au mien, disait-il. S'ils ne croyaient pas, ils brûleraient. Il leur disait toutes ces choses d'une voix furieuse, frémissante. Et le peuple sombre écouta son discours jusqu'au bout avant de le tuer.

Le Christ recula en chancelant de l'accès du glissoir. La vision se dissipa et les structures familières de la ville reparurent. Il avait déjà vu celle-là. Les visages étaient différents, le lieu, les hommes; mais les résultats étaient toujours les mêmes. *Pas précisément,* pensa-t-il. Mais quelle importance, *qui* était tué? Il en avait assez de ces foutus cauchemars. Ils étaient un rappel constant de ce qu'il était pour eux.

Il s'était donné tant de mal pour différer d'eux, pour différer de ce qu'ils avaient dit qu'il était. Il observa leurs visages tandis qu'ils passaient devant lui, sur le glissoir, et il essaya de choisir une figure pour l'examiner. Il cherchait quelque chose, dans un des visages, qu'il pourrait interpréter comme un signe de vie; il n'y avait rien. Il contempla l'étendue de la ville et vit qu'elle était remplie d'un flot incessant de golems décharnés, de morts-vivants.

Il marcha le long du glissoir, refusant de monter sur leur mécanique. Les talons de ses bottes résonnaient sur la surface de glasphalte. Il aimait le son qu'ils faisaient pour accompagner sa marche. Cela lui donnait une sensation d'accomplissement, d'être capable de faire une chose que nul autre ne pouvait faire, même s'il était la seule personne à l'entendre ou à l'apprécier. Il s'avança sous les pylônes d'un système monorail au moment précis où le train passait au-dessus de sa tête; il reconnut le code chromatique des voitures. Le train allait vers les Docks. Il se rappelait les

Docks comme une vaste étendue d'acier et de béton, un lieu d'où les hommes partaient pour les étoiles.

Les Docks n'étaient pas loin car il pouvait entendre le hurlement des moteurs des vaisseaux stellaires qui décollaient. Il se mit à marcher dans les rues sombres d'un quartier industriel, vers les Docks, et soudain il perçut un son bizarre. Un cri humain lui parvint, faible et plaintif, que les ombres menaçaient d'avaler.

Le Christ tourna au coin de la rue et vit un vieil homme affalé par terre près d'une fosse de recyclage. Un tas d'ordures lui servait d'oreiller. C'était une épave, vêtue de haillons, et sa respiration oppressée et rauque faisait un bruit liquide. Le Christ sourit et faillit rire en l'apercevant. Il sentit l'odeur du vin avant même de s'approcher du vieillard. Chose étrange, il éprouvait une espèce d'affinité envers l'ivrogne; car le Christ avait souvent souhaité avoir lui-même un moyen d'échapper à son propre tourment.

Mais il haïssait aussi cet homme.

Fumier, pensa-t-il en considérant l'homme. *Tu mérites de mourir dans ce tas de merde puant. Des milliers d'années. Pour ça?*

Debout, dominant l'homme, le Christ serra et desserra les poings. Une des paupières du vieillard palpita et se souleva, révélant un œil jaune et bouffi. L'œil unique contempla le Christ, et il sentit un frémissement de conscience lui effleurer le cerveau.

Ainsi, pensa le Christ. *Tu crois me voir, n'est-ce pas? Tu dois être une des raisons pour lesquelles je suis encore là dans ce lieu pourri!... Pour lesquelles je dois m'attarder et regarder partir tous les autres. Ordure!*

Le Christ rua dans les côtes du vieillard avec le bout pointu de sa botte et la poitrine de l'homme se souleva en une quinte de toux grasse qui l'étouffa. Un filet de sang apparut au coin de sa bouche.

Soudain, l'homme se mit à changer. Le Christ regarda les traits se fondre jusqu'à ce qu'ils deviennent ceux d'un homme barbu à la peau basanée. L'homme gisait, étiré sur une grande machine de bois; ses mains étaient attachées à une extrémité et ses pieds à l'autre, liés à une grande roue. Il y avait un théologien en robe hiérarquale, qui posait des questions à l'homme torturé; et chaque fois que l'homme ne pouvait répondre, le théologien regardait les trois juges en cagoule assis au-dessus de lui et donnait un nouveau tour de roue. L'homme sur le chevalet hurlait à chaque tour qui déchirait lentement les muscles de ses membres. Une nouvelle question. Un nouveau tour de roue. Et puis le théologien fouetta l'homme avec une ferveur sauvage, creusant de profondes entailles dans son dos.

Le Christ s'était écarté du vieil homme tandis que les sombres images disparaissaient. Les crises devenaient plus fréquentes, plus atroces que jamais. Il contempla l'épave inconsciente à ses pieds et lui donna un nouveau coup de pied. L'homme toussa et cracha du sang qui souilla la botte du Christ. Il vit le sang et sauta sur l'homme, écrasant sa poitrine dans le tas d'ordures. Finalement, l'homme cessa de respirer.

Je l'ai tué, pensa le Christ. *Et uniquement parce qu'il me connaissait.* Il regarda le cadavre, à demi enseveli dans les ordures, enviant l'évasion qu'il avait offerte à l'homme. L'ultime évasion qui lui avait été refusée par l'inconscient collectif de l'humanité. Engendré et entretenu par les peurs et les désirs des hommes et puis oublié. Presque oublié. L'homme évoluait mais le Christ ne pouvait changer avec lui. Les mythes n'évoluent pas, ils meurent. Lentement, il se détourna du corps du vieillard et repartit vers les Docks.

Il entendit l'ululement des vaisseaux stellaires en approchant; et il comprit ce qu'il devait faire à présent. Il n'y aurait plus d'errance sans fin, plus de vêtements volés, d'images volées. Ce serait la fin des crises de cauchemar, des atroces et douloureux rappels de sa raison d'être. Il n'y avait aucun espoir de survie, car il n'y avait pas d'évolution pour s'accorder aux pensées changeantes de l'esprit humain.

Il gravit l'escalier à l'entrée des Docks, où un vaisseau stellaire attendait de l'emmener. Bien souvent, dans le passé, il avait songé à partir; mais il avait toujours eu peur. Peur d'avoir négligé quelque petite possibilité. Mais cela n'avait plus d'importance. Peut-être découvrirait-il un nouveau monde, à des années-lumière, qui contiendrait dans son atmosphère l'amour, ainsi que la chaleur et la vie. Il avait vu assez de morts, senti assez de haine.

De la chaussée au sommet, le Christ contempla les Docks, une immense plaine d'acier s'étendant jusqu'à l'horizon. Le soleil mourant colorait de mauve le ciel à l'endroit où il rejoignait les Docks. Tout en considérant les vaisseaux stellaires, tapis comme de grands insectes prêts à s'élever en bourdonnant sur des ailes invisibles, il songea à toutes les années qu'il avait endurées avant d'atteindre ce moment. Il se rappela les autres, qui avaient jadis partagé son existence junguienne, Dis, Pan, Vichnou, tous ceux-là, tous partis. Et maintenant il devait partir à son tour.

Au-delà de la gare d'embarquement, le Christ choisit le *S. S. Gamow* pour son rite de passage. Bientôt il serait libéré de l'atmosphère de la Terre et son système FTL le propulserait silencieusement dans l'hyperespace. Le Christ pénétrerait dans une région où les choses de l'homme étaient inconnues; sauf pour les fugaces intrusions des vaisseaux.

L'équipage du *Gamow* ne le vit pas, ne l'entendit pas quand il marcha parmi eux. Chacun accomplissait ses dernières tâches précédant le décollage. Le Christ contempla le viseur principal, qui montrait la lueur violette des Docks au coucher du soleil. Il vit clignoter les signaux d'embarquement, il entendit l'interphone crépiter son jargon. Puis le vaisseau frémit aux vibrations des moteurs et bondit dans la nuit commençante.

Sur le viseur, les Docks disparurent dans le néant, avalés par l'immensité du continent. Quelques minutes plus tard, la Terre elle-même se réduisit à une minuscule sphère coupée par un hémisphère d'obscurité. Des diagrammes apparurent sur les écrans de contrôle et l'équipage se prépara au bond FTL.

Le Christ se sentit soudain la tête légère, il éprouva comme un vertige. Une autre vision ! Non ! pas maintenant ! Mais la vision n'apparut pas. A la place, l'engourdissement se précisa, une sensation d'ivresse dans le cerveau. Un martèlement sourd lui fit battre les tempes et son intensité s'accrut jusqu'à devenir aussi intolérable que des coups de marteau d'enclume.

Il regarda le viseur comme pour y chercher une explication à la douleur et il vit un long cordon montant et s'étirant depuis la Terre, s'allongeant dans les ténèbres de l'espace pour venir toucher le vaisseau. Un cordon ombilical ténu, impalpable et éphémère, tirant sur son être même tandis que le vaisseau augmentait la distance le séparant de la Terre. La tension sapait son énergie vitale, le drainait de toute conscience. Et alors que sa conscience l'abandonnait à toute allure, le Christ sentit une faible palpitation de mémoire raciale affluer en lui, tentant de renverser le flot de son être.

Le vaisseau se convulsa en effectuant le bond dans l'hyperespace.

Le cerveau du Christ explosa en un million de fragments aveuglants qui dansèrent devant ses yeux. Le temps se comprima, perdit pour lui toute signification. Le cordon ombilical s'était rompu, disloqué dans les ténèbres.

La dernière perception fut le viseur... un trou noir où les étoiles s'éteignaient.

odeur de seize ans, odeur de vanille

par Ted WHITE

On frappa à la porte et j'injuriai ces maudits étriers.
— Une minute !
On frappa à nouveau. Plus fort.
— Une minute, je vous dis !
Étant enfin parvenu à y glisser mes pieds, je pus répartir le poids de mon corps et agripper les commandes. Je remontai la fermeture à glissière de mon plastron, me retournai pour vérifier comme d'habitude que tout allait bien, adressai un coup de menton approbateur à mon reflet dans la glace et me dirigeai vers la porte.

Je ne suis pas beau garçon. Ma tête est trop grosse, j'ai la figure bouffie et un embonpoint exagéré. Mes sourcils se rejoignent, formant une épaisse ligne d'un brun pisseux et, cinq minutes après le shampooing, mes cheveux sont à nouveau raides et ont l'air sale. Mais mes yeux d'un bleu invraisemblable ont le pouvoir de vous clouer sur place et de vous paralyser comme un papillon épinglé. Il m'arrive de me fasciner ainsi moi-même, si je ne fais pas attention et si je me contemple trop longtemps dans un miroir.

— Vous êtes prêt, Earl ?
C'était Paul Dubrey, un de ces imprésarios tatillons qui regardent l'heure cinq fois en l'espace de dix minutes et attrapent des ulcères.

— Nous avons largement le temps, Paul, répondis-je en

lui décochant mon sourire le plus chaleureux, accompagné d'un de mes regards bleu layette, plein de candeur.

— Je n'avais pas l'intention de vous houspiller, Earl.

Il est tellement nerveux qu'il ne peut pas prononcer un mot sans même prendre un ton agressif. Ça le panique quand je lui souris.

— Maintenant, je suis prêt.

— Est-ce que je peux vous aider?

Je lui adressai un nouveau sourire.

— Merci, Paul. Ça va.

La sueur faisait des taches sombres sur son col roulé.

C'était un concert de routine. Une petite ville du Midwest, une salle bondée, mais c'est avant tout le sentiment de s'acquitter d'une obligation que l'on éprouve. Beaucoup de monde mais des applaudissements de politesse. Je leur offris un petit assortiment: Mozart en guise d'amuse-gueule pour que le public se sente à l'aise, en terrain familier, puis un peu de Satie, un peu de Carter et, pour finir, une pièce de mon propre cru, tout en arpèges et en morceaux de bravoure. Je ne bissai pas. Le Steinway était désaccordé, maintenant, et la salle était humide. Des applaudissements polis, la courbette d'usage et j'effectuai ma sortie. Un concert de plus, un concert de moins. Le lendemain, une autre ville. Ce que l'on appelle la culture pour les masses.

Une demi-douzaine d'édiles et assimilés m'attendaient nerveusement dans ma loge, comme à l'accoutumée, pour me serrer la main. Quelqu'un avait disposé un bouquet de fleurs devant la glace de sorte qu'il paraissait deux fois plus gros que nature. Paul avait bien organisé les choses. Ça fait partie de son boulot. Un doux et chaleureux sourire aux lèvres, je laissai les paumes moites presser mes mains de façon saccadée. Bientôt, la loge se vida. A l'exception de Paul et d'une jeune fille.

— Vous pouvez disposer, Paul.

Il me lança un regard inquiet et bredouilla quelque chose à propos du régisseur à qui il fallait qu'il parle avant de partir. La porte se referma.

La fille était plus jeune que ce n'était le cas d'habitude et elle avait une drôle d'expression.

— Oh... oh..., balbutia-t-elle lorsque nous nous retrouvâmes en tête à tête.

J'allai repousser les fleurs. J'aime regarder dans les glaces.

— Mais asseyez-vous donc, je vous en prie, lui dis-je. Et détendez-vous. C'est la première fois ?

— Quoi ? Oh ! non... je veux dire... si. Vous... euh... vous jouez très bien. J'avais déjà entendu vos disques avant mais...

Sa voix mourut et elle se tut, désemparée comme si elle avait perdu le fil. Je posai légèrement la main sur son bras. Elle tressaillit et déglutit. Très théâtral. Très bien.

— Allez, asseyez-vous. (Le divan était derrière elle.) Vous buvez quelque chose ?

— C'est-à-dire que je... je ne voudrais surtout pas vous déranger, fit-elle d'une voix hésitante.

Je sortis les bouteilles du tiroir latéral de la coiffeuse et l'observai dans le miroir. Décidément, la lumière était trop vive, trop crue. J'éteignis, ne laissant allumée qu'une lampe dont l'abat-jour tamisait l'éclat. Comme par magie, elle rajeunit de cinq ans d'un seul coup. Seigneur ! m'exclamai-je dans mon for intérieur. Elle doit sûrement avoir plus de seize ans, quand même !

Pourtant, elle ne les faisait pas.

Elle saisit le verre que je lui tendais sans le regarder et resta immobile, le tenant entre ses doigts comme si c'était simplement quelque chose à quoi s'accrocher.

— Je... je voulais vous dire combien j'admire votre talent, monsieur Thomise. Je compte m'inscrire à l'école de musique Juilliard l'année prochaine et...

Je lui souris.

— Voulez-vous bien vous taire, mon petit ? Vous ne savez donc pas que ces compliments nous gênent, nous, les vieux professionnels ?

Ma réplique la désarma, évidemment.

— Oh ! murmura-t-elle, très petite fille.

— Vous n'avez pas encore bu. (J'approchai mon verre jusqu'à ce que son rebord touche celui du sien.) Santé !

Elle avala tout le contenu comme si c'était de l'eau pure, encore qu'il n'y en eût vraiment pas beaucoup dans le breuvage, et devint écarlate. Mais elle ne dit rien. Elle ne s'étrangla pas, elle ne toussa pas. Je la regardai. Elle, elle regardait droit devant elle. Peut-être qu'elle contemplait la boucle de ma ceinture ou je ne sais quoi. Cela dura si longtemps que j'étais sur le point de rompre le silence quand, enfin, elle leva la tête et demanda :

— Je peux en avoir un autre ?

Je vidai mon propre verre, le remplis et remplis à nouveau le sien.

— Préférez-vous autre chose ?

— Quoi ?

— De l'acide ? Du hash ?

Il y a des femmes qui aiment mieux ça avant.

— Oh ! Je n'ai jamais...

— Dans ce cas, il vaut mieux s'en tenir à ce que vous connaissez, fis-je en lui tendant son verre.

— Oui.

Elle prit une longue gorgée. Le silence était particulièrement embarrassant et je me demandai où Paul avait déniché cette fille-là.

Je m'assis à côté d'elle avec précaution afin que mon poids sur les coussins ne la déséquilibre pas.

— Vous ne m'avez pas dit votre nom.

— Judy.

Elle émit un petit rire nerveux avant de replonger derechef dans son verre.

— Ju-dy, Ju-dy, fis-je, épuisant ainsi d'un seul coup ma maigre provision d'allusions cinématographiques. Je suppose que c'est une plaisanterie que vous avez déjà entendue cent fois ?

Elle opina.

— Quand j'étais petit, on m'appelait le comte de Ceci ou le comte de Cela (1), enchaînai-je. (Elle se tourna un peu pour voir mon visage.) Quand on arrive à l'âge adulte, on connaît par cœur tous les calembours auxquels se prête votre nom.

— Oui, convint-elle en souriant imperceptiblement. Et ils sont tous atroces.

(1) En anglais, *earl* veut dire comte. (N. D. T.)

— Pardonnez-moi.

— Oh non! s'exclama-t-elle en devenant toute rouge. Je veux dire que... ce n'était pas à vous que je pensais.

Le silence retomba comme le rideau à la fin de l'acte. Je lui adressai un nouveau sourire tout en promenant le bout de mes doigts sur son cou et son épaule nue. Ses grands yeux noisette au regard chaud se soudèrent aux miens comme prévu et un sourire timide retroussa lentement ses lèvres. Elle frissonna mais ne fit pas mine de s'écarter.

Un verre entier et une bonne partie d'un autre ingurgités coup sur coup quand on n'a rien dans le ventre... Je savais qu'elle n'avait pas mangé. Cela peut assommer vite. Je laissai mes doigts se perdre, caressants, dans ses cheveux, puis glisser le long de sa colonne vertébrale. Sa robe coûteuse était largement décolletée. Ses yeux demeurèrent rivés aux miens.

Je tendis mon bras libre et lui pris les mains. Le choc électrique en retour me picota le bout des doigts. Ses lèvres s'entrouvrirent et, sans s'en rendre compte, elle se rapprocha de moi.

Son rouge fleurait l'innocence. Odeur de seize ans, odeur de vanille. Son baiser gauche et maladroit me ravit. C'était une « catégorie spéciale ».

Brusquement et sans transition, elle recula et me considéra en écarquillant les yeux, l'air affolé.

— Que se passe-t-il, Judy? lui demandai-je doucement.

— Je... ne comprends pas. Ce... ce n'est pas ce...

Elle était incapable de trouver ses mots.

Son verre était posé sur la petite table. Je le lui tendis.

— Tenez.

Elle referma ses doigts sur lui et le porta machinalement à sa bouche.

Il fallait faire quelque chose. Meubler les vides pesants. J'avalai, moi aussi, une gorgée. De la façon dont se présentaient les choses, cela s'annonçait plus satisfaisant que d'habitude.

Elle reposa son verre sur la table. Vide.

— Pourquoi suis-je ici?

Sa voix était indistincte et elle paraissait désemparée.

— Pourquoi donc êtes-vous ici, Judy?

Ce n'était pas la première fois que je jouais à ce petit jeu. Je recommençai à lui caresser la nuque. Ses yeux se fermèrent à moitié et son expression se fit rêveuse. Puis ils s'élargirent et elle me scruta.

— Je ne sais pas, répondit-elle.

Mais elle le savait très bien.

— Levez-vous.

Je me levai moi-même et l'aidai.

— C'est dur de se tenir debout, murmura-t-elle.

Je me penchai sur elle, lui embrassai l'épaule sans l'étreindre tout à fait et trouvai la fermeture à glissière de sa robe.

— Qu'est-ce que vous faites?

Son ton était perplexe.

Je dégrafai la robe qui glissa à ses pieds. En dessous, elle ne portait qu'un slip. A présent, tous les trucs font bloc avec la robe et j'avoue que c'est une mode que j'ai souvent eu l'occasion d'apprécier.

Je me baissai, ramassai la robe et l'accrochai à un cintre dans le placard.

— Pourquoi faites-vous ça? s'enquit-elle, toujours debout.

— Pour qu'elle ne se fripe pas, répondis-je en me méprenant délibérément sur le sens de sa question.

— Est-ce que je suis jolie?

Elle se regardait dans mon miroir. Je la rejoignis et, inscrit avec elle dans l'encadrement, je lui baisai le cou.

— Très.

— Vous ne m'avez pas encore ôté mon slip.

Elle était sérieusement noire.

— Plus tard. Chaque chose en son temps.

Ses seins étaient menus mais bien formés et leurs pointes se durcirent instantanément au contact de mes lèvres.

— Comment pouvez-vous savoir si je suis jolie si vous ne me déshabillez pas complètement?

Je lui souris dans la glace et nos yeux, à nouveau, se soudèrent jusqu'au moment où elle chancela et dut tendre le bras pour garder son équilibre.

— Ça me donne le vertige, s'excusa-t-elle. Enlevez-moi mon slip.

Je m'exécutai. Cela faisait bien peu de différence pour ce qui était de rendre un hommage esthétique à sa séduction mais elle devenait insistante et je ne voulais pas gâcher sa disposition d'esprit.

Nous nous étions rassis sur le divan. Elle cessa un instant de mordiller ma joue pour me demander si je savais quel âge elle avait.

— Non, répondis-je. Mais c'est sans importance.

— J'ai seize ans, fit-elle avec, à la fois, de la fierté et du défi dans la voix.

L'angoisse me serra fugitivement le cœur mais je la refoulai.

— C'est merveilleux.

— Vous n'avez jamais eu une fille aussi jeune, n'est-ce pas ?

— Non, Judy. Pas récemment.

— Même quand vous aussi vous aviez seize ans ?

— Non. Même pas à seize ans.

Pour une bonne raison !

— Est-ce que je vous plais ? Est-ce que je suis jolie ?

— Très jolie, Judy.

Mais un peu fatigante.

— Alors, pourquoi ne vous déshabillez-vous pas à votre tour ?

J'éloignai son visage du mien.

— J'ai une ou deux petites excentricités, Judy. Je ne me déshabille pas. (Je soutins son regard.) Vous verrez que c'est tout aussi bien comme ça.

Cette fois, je dus me détourner tant elle me scrutait avec intensité.

— Je suis vierge, monsieur Thomise. Le saviez-vous ?

Je commençais à le subodorer.

— Ne vous inquiétez pas, Judy, répliquai-je sur un ton apaisant. Vous le resterez.

— Mais je ne veux pas le rester, monsieur Thomise !

— Earl. Appelez-moi Earl, Judy.

— Je veux que tu me sautes, Earl, dirent ses tendres lèvres de seize ans.

La première et acide morsure de la peur me brûla l'estomac. Elle ne suivait plus le scénario. Mais y avait-il un scénario?

— Vous êtes très jeune, Judy. Je désire vous montrer quelque chose de très agréable mais un homme de mon âge ne...

— Mais qu'est-ce qui ne tourne pas rond chez vous? (Son regard me fouillait toujours avec autant d'intensité.) Je suis venue me faire sauter et voilà que, maintenant, vous vous défilez. Vous êtes pédé ou quoi?

— Je vous en prie, Judy! Vous n'êtes pas venue ici pour vous faire sauter, comme vous dites. Vous êtes venue dans l'intention de vous prosterner devant un pianiste célèbre parce que vous êtes une collégienne qui veut suivre des cours à Juilliard. Et puis, vous vous êtes retrouvée en tête à tête avec votre héros de pianiste et vous avez pris peur, vous avez beaucoup trop bu et trop vite, et, maintenant, vous essayez de paraître plus âgée que vous ne l'êtes pour vous prouver quelque chose à vous-même. Mais je ne crois pas que ce soit vraiment cela que vous cherchez à vous prouver. N'est-ce pas?

Ça avait tourné de travers, je l'avais compris. Pas étonnant si Paul avait eu cet air inquiet : Judy n'était pas une de ses recrues.

Je songeai à la fortune que la moindre erreur de parcours risquerait de me coûter. Seize ans! Bon Dieu, mais où avais-je eu la tête? Elles ne deviennent pas des professionnelles à seize ans chez les culs-terreux! Les professionnelles de seize ans, c'est strictement un produit des grandes villes.

— C'est bien ce que je disais, fit-elle en me repoussant et en se relevant, flageolant sur ses jambes. Vous êtes un pédé et le reste ne vous intéresse pas, rien qu'un pédé. (Elle me gifla à la volée.) Rien qu'un pédé...

Elle se laissa retomber sur le divan et, toute nue, roulée en boule, éclata en sanglots hystériques.

Je m'emparai d'une serviette, essuyai la sueur qui ruisselait sur ma figure et ouvris pour voir s'il n'y avait pas quelqu'un à l'écoute dehors.

Paul était planté dans le couloir, le dos tourné à la

porte. Avant que j'aie eu le temps de dire un mot, il pivota sur lui-même et me fit face. Il était blême. Nous nous dévisageâmes fixement.

— Des ennuis?

Je hochai la tête.

— Oui, Paul.

Il soupira. On aurait dit qu'il avait vieilli d'un seul coup.

— Venez, repris-je. Tâchez de m'aider à la rhabiller.

— Vous faites parfois des trucs stupides, Earl.

— Eh oui.

Nous la rhabillâmes sans difficulté. Au début, elle était crispée, puis son corps devint flasque mais sa robe glissa sans peine.

— Vous avez entendu? demandai-je à Paul.

— En tout cas, j'en ai suffisamment entendu. Vous devriez être assez intelligent pour vous en tenir aux seules professionnelles.

Je haussai les épaules. Que pouvais-je lui répondre? Que j'avais voulu croire qu'elle en était une tout en espérant le contraire? Que je voulais avoir, rien qu'une fois, une fille qui ne soit pas une mercenaire? Quelque chose d'authentique? Que je n'avais jamais eu seize ans et que je ne les aurais jamais?

Ce ne sont pas des choses dont on parle. Il est impossible d'en parler. Ce serait comme de me dévêtir intégralement devant quelqu'un. Je ne l'avais jamais fait.

— Je vais m'occuper d'elle, dit-il. Je lui ferai prendre du café, peut-être qu'elle sera un peu malade mais le grand air la requinquera et je m'arrangerai pour la ramener chez elle sans qu'elle fasse d'histoires.

— Merci, Paul.

Je lui décochai un de mes sourires de charme.

— Je suis payé pour ça.

La porte se referma derrière lui.

Je retournai devant le miroir et demeurai longtemps à regarder mes yeux bleu layette comme si, tout au fond d'eux, s'attardait encore la vision de ce qu'ils avaient vu, comme si je pouvais poursuivre et rattraper le passé — et qui sait si, alors, tout n'irait pas différemment?

Enfin, je fis glisser la fermeture coulissante de mon

plastron, je dégageai mes doigts des commandes de manœuvre de mes bras, mes pieds des étriers et mon postérieur de la sellette prothésique.

Puis j'adressai un dernier signe du menton au miroir et la créature adipeuse, sans bras ni jambes, le bébé thalidomide adulte, aux ailerons grotesques, me le rendit.

On peut poursuivre le passé autant qu'on veut, on ne le rattrape jamais.

il faut tout avaler

par Dominique BLATTLIN

— Vous n'avez plus de pain d'épice?

Jules Cabalu cessa d'empiler les boîtes de sardines et chercha, un instant durant, quelque chose de blessant à répondre. N'ayant pas trouvé, il abandonna les sardines pour se planter devant le rayon où trônait d'habitude le pain d'épice.

— Remarquez bien, peut-être a-t-il changé de place. Cela arrive parfois que les denrées changent de place, n'est-ce pas?

L'agressivité du gérant s'envola, il se fit même aimable avec la cliente et lui ramena de la réserve son pain d'épice.

A cette heure de la journée, l'hyper-magasin était pratiquement désert et Jules Cabalu en profitait pour remplir les rayons pillés par la foule de midi.

— Germaine!

Une fille quitta la caisse n° 1 et le rejoignit devant le rayon des pains d'épice.

— Vous m'avez appelée, monsieur Cabalu? dit-elle d'une voix traînante.

— Dites-moi, je ne suis pas fou. J'ai complété en pain d'épice hier. Vous auriez pu me signaler que cet article partait aussi vite.

Devant le peu de réactions de la fille, il s'énerva. D'ailleurs, cette gourde de grosse fille qu'il avait nommée chef-caissière contre certaines promesses, l'agaçait passablement et il souhaitait son départ pour nommer Gisèle à sa place. Gisèle ne se faisait pas prier, elle, et il espérait l'élever bientôt à un poste digne de ses capacités.

— Cessez de me regarder stupidement ! Le pain d'épice ! Là ! Vous voyez, avec vos gros yeux de vache ! Le pain d'épice se tient là, tout au long de l'année, et il n'y a plus rien ! Alors je vous demande si vous avez tout vendu depuis hier. Vous me suivez ?

Elle réprima un sanglot et laissa couler un peu de rimmel sur ses joues outrageusement maquillées.

— Trois paquets, quatre, mais rien de plus, monsieur, pleurnicha-t-elle.

Il avait très envie de la culbuter là, parmi les barils géants de lessive. Lui arracher sa blouse blanche, ouvrir son corsage en faisant sauter tous les boutons, craquer les bretelles du soutien-gorge et...

— Mademoiselle Rognont. C'est bien votre nom ?

Elle se mit à trembler. Lorsqu'il devenait correct avec le personnel, cela était toujours mauvais signe et se terminait par un licenciement pour faute professionnelle.

— ... Mademoiselle Rognont, j'ai placé toute ma confiance dans ce que je pensais être chez vous de la compétence...

Il appuya sur le mot « compétence », louchant sur les seins généreux de la chef-caissière.

— ...Mais depuis quelque temps, il y a recrudescence de vols dans ce magasin. Et vous n'ignorez pas que ce magasin, cet hyper-magasin, appartient à la Société Lechaire, et M. Lechaire place toute sa confiance dans ma compétence. Je suis responsable du pain d'épice. Je le place moi-même dans ce rayon. Je surveille tous les rayons de ce magasin et, en mon absence, vous devez surveiller à ma place. Bref, je suis déçu par votre attitude, votre peu de... coopération.

— Monsieur Cabalu, je vous assure que je surveille. Ce n'est pas possible que quelqu'un puisse voler autant de pain d'épice d'un seul coup.

Une envie précise le travaillait fortement. D'un coup d'œil circulaire, il balaya la surface du magasin et posa distraitement sa main sur l'épaule de la chef-caissière, pour la glisser vers le sein droit.

— Excusez-moi, je cherche des clous de girofle en boîte.

Un petit bonhomme jaunâtre, au regard éteint, se tenait

derrière eux, comme s'il venait de surgir de l'un des barils géants de lessive.

La main fébrile disparut bien vite dans la poche du veston gris, tandis que la chef-caissière se prit à rougir malgré l'épaisseur de son maquillage.

— Voyez au rayon outillage, répondit machinalement Cabalu d'une voix blanche.

L'air songeur, le petit bonhomme ne bougea pas et esquissa une moitié de sourire. Puis, timide, il leva un doigt court et noueux vers les pyramides de boîtes cylindriques.

— D'habitude, je les trouve là.

Furieux d'avoir été surpris par cette petite chose parcheminée, et maintenant vexé de constater que cette même petite chose connaissait l'emplacement des rayons presque mieux que lui, Cabalu explosa, s'adressant à la chef-caissière en des termes peu flatteurs :

— Mais est-ce possible ! Je ne suis pas secondé ici. Voyez avec Monsieur, et vite !

Le petit bonhomme se dandinait devant un casier totalement vide et Cabalu se revit en train de garnir le même casier, lundi soir exactement, jour calme, où le magasin n'est ouvert que jusqu'à midi.

Il courut presque à la réserve, revint avec une boîte de clous de girofle et s'excusa auprès du client.

De nouveau seul avec la chef-caissière, il prit une voix quasi métallique pour lui signifier son proche licenciement.

Elle se mit à pleurer. Les larmes transformant en boue rosâtre son maquillage. Il se dit que le visage de la femme allait bientôt s'annuler, fondre sous l'effet du torrent lacrymal. Il l'apaisa, lui certifiant qu'elle bénéficierait de toutes les primes de licenciement.

— Monsieur Cabalu, réussit-elle à prononcer, au milieu de lourds sanglots, je vous en supplie, gardez-moi. Je ferai tout ce que je voudrez. Je vous jure que je garderai jour et nuit le pain d'épice et les boîtes de clous de girofle. Je vous en supplie ! Je suis seule avec ma mère âgée. Si je ne travaille plus, comment va-t-elle vivre ? Elle va mourir. Elle est très malade, très âgée.

— Mais vous allez trouver une autre place, mademoiselle Rognont.

Elle venait de lui saisir la main — dans la poche même où il l'avait cachée depuis l'intervention du client — et la plaça de force sur son sein droit.

— Mais vous êtes folle ! lubrique !

Il prit un air de pudeur offensée et se dégagea brusquement, presque brutalement, adressant un sourire complice à une fille blonde qui avait quitté sa caisse pour gagner l'allée où elle avait entendu les cris et les pleurs.

— Gisèle, je vous prie, dites à M. Burtin de préparer le compte de Mlle Germaine Rognont.

La fille blonde eut un air de triomphe. Enfin ses efforts étaient récompensés. Elle allait devenir chef-caissière.

— Monsieur Cabalu, vous savez bien qu'avec le chômage actuel, je ne retrouverai rien. Il y a huit millions de chômeurs dans notre pays, et les rares places ne sont accordées que pour des périodes de trois mois.

Le gérant suivit Gisèle du regard. La fille blonde était maigre, pas très bien faite. Il adressa un regard méchant à ce qui était devenu une pitoyable créature au chignon fou, au maquillage détruit.

— Adieu, mademoiselle Rognont. La prochaine fois, vous réfléchirez avant de dire non à votre supérieur.

Avec un rugissement, Mlle Rognont propulsa son pied gauche vers l'entrejambe de M. Cabalu. Celui-ci poussa un petit cri bref et porta ses mains vers l'endroit touché, avant de tomber à genoux.

De retour des services administratifs du magasin, Gisèle se précipita et constata l'évanouissement de Jules Cabalu.

M. Lechaire frisait sa moustache poivre et sel, attendant que Jules Cabalu retrouve tous ses esprits. Une infirmière venait d'assurer au Président-Directeur Général de la chaîne d'hyper-magasins que le patient n'allait pas tarder à reprendre connaissance.

Émergeant de son état comateux, Jules Cabalu ressentit une douleur et comprit qu'il ne devait pas bouger. Puis il aperçut rien moins que Dieu. Son Dieu qu'il servait depuis déjà plusieurs années avec toute l'obséquiosité requise.

Dieu ayant fini de se lisser les moustaches, dégagea sa

gorge et trouva une belle voix de conseil d'administration pour dire :

— Alors Cabalu. J'espère que vous allez pouvoir reprendre jeudi. J'ai entendu Mlles Germaine Rognont et Gisèle Desfossés, vos proches collaboratrices, au sujet des prétendus vols de pain d'épice et de clous de girofle. Sachez, Cabalu, que depuis quelque temps, il se passe des choses étranges dans les hyper-magasins. A ce point, que nous nous sommes réunis, pas plus tard que la semaine dernière, avec nos collègues allemands, américains. En fait, Cabalu, cela est bien plus grave que de menus larcins. Je ne vous apprends rien en disant que nous sommes en pleine récession. L'inflation court le marathon depuis des années et les centrales nucléaires qui devaient nous apporter tant de bienfaits n'ont rien arrangé du tout, bien au contraire. Mes propos vous semblent peut-être quelque peu confus, pour ne pas dire davantage, mais vous comprendrez jeudi. Un Américain se présentera à vous. Voici sa photo. Il se nomme William Rinso. Ce n'est pas un policier, encore moins un surveillant. Disons qu'il s'agit d'un scientifique. Prenez grand soin de lui et laissez-le agir à sa guise. Ces conditions font partie du contrat que nous venons de signer avec la société dont il est l'employé. Je compte sur votre habituel doigté pour le faire accepter par votre personnel... A ce propos, je vous signale que j'ai réintégré Mlle Rognont dans ses fonctions de chef-caissière. Je ne vous tiens pas rigueur de votre décision, celle-ci est due à une grande ignorance de votre part. Vous n'êtes pas en présence d'un voleur ordinaire, comprenez bien cela, et votre chef-caissière ne peut être tenue pour responsable du pillage des rayons du magasin. Meilleure santé, Cabalu.

Dieu se leva et ouvrit la porte.

Jules Cabalu voulut se redresser pour le saluer, mais une douleur lancinante le fit demeurer tranquille.

L'infirmière s'occupa de ses oreillers et dit, moqueuse :

— Alors, monsieur Cabalu, vous nous quittez jeudi... Vous nous quittez jeudi, mais vous n'êtes pas prêt de faire joujou, hein ?

— Bonjour, je suis William Rinso.

Complet-veston, cravate, chemise bleue, chaussures cirées, le cheveu brun et gominé, la barbe entretenue, l'homme venait de se présenter à Jules Cabalu d'une voix sans accent.

— Je suis heureux que vous parliez parfaitement notre langue, dit le gérant de l'hyper-magasin.

— Je voyage énormément, alors je me dois de connaître tout. J'ai l'intention de me mettre immédiatement au travail. Nos gages étant particulièrement élevés, M. Lechaire, votre Président-Directeur Général, souhaite que je résolve le présent problème d'ici la fin de la semaine. J'ai pris la liberté de faire livrer tout mon équipement ici-même.

— Oui, je sais, répliqua Jules Cabalu, l'air important. Vos bagages sont arrivés de bonne heure ce matin. Si vous voulez me suivre, je vais vous faire visiter le magasin.

— Volontiers.

Au cours de la visite, l'Américain prit des notes sur un carnet. Jules Cabalu lui fit part de toutes les disparitions.

L'homme se pencha vers le bas d'une pyramide de barils géants de lessive, et décela dans l'emballage un trou minuscule, soigneusement masqué.

— Vous voyez, monsieur Cabalu, et bien j'ai le regret de vous annoncer que tous les barils qui forment le bas de la pyramide sont totalement vides. En fait les articles qui manquent ne sortent pas du magasin. Ils sont consommés sur place. Lorsqu'ils sont de faible densité, ils disparaissent emballage compris. Dans d'autres cas, seul le contenu disparaît. Pour être franc avec vous, monsieur Cabalu, votre manque de perspicacité risque d'entraîner de graves conséquences. Votre magasin est gangrené à, disons, 60 %.

— 60 %? répéta le gérant, abasourdi par les paroles du spécialiste.

— Oui, 60 %. Peut-être plus. Tous les articles qui forment la base des rayons. Tous les articles qui ne sont pas d'un accès immédiat pour les clients, tous ces articles, monsieur Cabalu, sont vidés de leur contenu.

— Et qu'est-ce qui vous permet d'affirmer cela? déglutit péniblement le gérant de l'hyper-magasin.

— C'est très simple. Les disparitions intégrales d'articles

surviennent toujours dans la seconde phase du mal. « Ils »
s'enhardissent, et préfèrent subtiliser contenu et emballage, surtout, comme je vous l'expliquais à l'instant, pour
les petits articles. Remarquez, vous avez de la chance, ils
ne semblent pas, jusqu'à présent, s'être infiltrés dans vos
réserves, mais cela est à vérifier.

Jules Cabalu sentit ses jambes flancher. Il saisit le bras
de William Rinso et balbutia :

— Mais de quoi me parlez-vous si posément ? D'une
équipe de rats améliorés ?

L'Américain leva un index flatteur :

— Monsieur Cabalu, vous remontez dans mon estime.
Votre question a une forme qui me plaît. Des rats ? Non,
il ne s'agit pas de rats, mais d'une espèce désormais
voisine. Une espèce dont nous sommes tous responsables.
Un amalgame de malheur. Actuellement, il n'y a pas de mot
exact pour définir... Des rats améliorés, ce n'est pas mal...
Mais maintenant, excusez-moi, j'ai du travail. A propos,
dans mes bagages, il y a un lit escamotable que je vais installer dans votre réserve.

Jules Cabalu le regarda s'éloigner, et dès qu'il fut seul se
jeta sur les articles formant la base des pyramides.

Vides !

Vidés de leur substance !

Accablé, il surprit une conversation entre deux cais-
sières :

— Tu vas au cinéma ce soir avec Paul ?

— Oui, on passe un film de vampires. Un truc comique
de Machanski.

— Je croyais que tu ne fumais plus.

Jules Cabalu stoppa à un feu et alluma une cigarette.
Ses doigts tapotaient nerveusement le volant.

— Je ne fumais plus, mais c'est fini, je refume.

Le feu changea. Gisèle Desfossés était assise auprès de
lui.

— C'est le type nouveau qui te rend nerveux ?

— Ce n'est pas un nouveau, c'est un scientifique. Il est
là pour s'occuper des vols.

Une pluie fine le fit ralentir. Il roulait à présent sur le

périphérique. Bientôt, il aperçut des voitures de police, des ambulances.

— Encore un accident à la centrale, gémit la fille.

— Ouais, encore un. Ils vont de ce côté, et ça a l'air urgent.

Ils furent rapidement devant le domicile de Gisèle. Sans joie, elle posa l'habituelle question :

— Tu montes ?

Une vieille douleur se réveilla. Il fit signe que non. Soulagée, Gisèle descendit et lui lança avant de claquer la portière :

— Mlle Rognont est toujours chef-caissière.

— Je ne peux rien faire, le patron l'a réintégrée.

Mais la fille blonde n'entendit pas.

Soucieux, Jules Cabalu imagina l'Américain, enfermé pour la nuit, rôdant entre les rayons déserts, cherchant à surprendre les voleurs.

Il gara la voiture dans le parking souterrain de son immeuble et appuya sur le bouton de l'ascenseur. Celui-ci ne venant pas assez vite, — peut-être était-il une fois de plus en panne —, il décida de monter chez lui par l'escalier.

Trois étages.

Sa convalescence avait beau être terminée, il souffrait encore. La douleur le fit songer à Mlle Rognont. Il grimaça, pensant à la totale victoire de cette grosse dinde.

Depuis qu'il était sorti de clinique, elle le toisait avec mépris. Il n'osait plus rien lui dire, puisqu'elle semblait bénéficier de la haute protection de M. Lechaire.

Parvenu au palier du second, il marqua un temps d'arrêt. Là, recroquevillée dans un coin, une chose bougeait au milieu d'un tas de vêtements.

— Qui êtes-vous ? s'inquiéta Jules Cabalu.

Cela se mouvait avec peine. L'éclairage parcimonieux l'empêchait de distinguer les traits du visage.

Il y eut une foule de pas.

Des policiers et des infirmiers surgirent.

Un brancard heurta le gérant.

On le pria fermement de dégager le palier et de rentrer chez lui.

La chose se défendait faiblement.

On l'enveloppa dans une couverture, avant de la ligoter sur le brancard.

— Mais qui est-ce ? interrogea Jules Cabalu, revenant sur ses pas.

Un gradé le menaça d'une matraque noire.

— Circulez, et vite ! Il n'y a rien à voir !

— C'est un criminel ? insista Cabalu.

— Vous êtes sourd ? Dégagez !

— Un fou échappé d'un asile ?

— Et un coup au-dessous de la ceinture, cela vous plairait ?

Le policier avait trouvé les mots justes. En un clin d'œil, Jules Cabalu fut chez lui.

William Rinso le salua.

— Vous avez l'air fatigué, remarqua Jules Cabalu.

L'Américain achevait de démonter une étrange machine.

— Vous ouvrez dans vingt minutes, n'est-ce pas ? lui fit remarquer le spécialiste.

— C'est exact.

— Alors je dois faire disparaître tout cela avant l'arrivée des premiers clients. Je réinstallerai ce soir.

— La nuit a-t-elle été instructive ? demanda Jules Cabalu, souhaitant que l'homme lui fasse quelques confidences.

— Très instructive. Dites, monsieur Cabalu, cette cloison, là-bas, il doit y avoir un creux entre elle et le mur ?

— Certainement.

— Et là, ce coffrage, idem ? continua l'homme.

— Oui. Mais où voulez-vous en venir ? Personne ne peut se cacher là-dedans.

— A propos, monsieur Cabalu, tous les rayons situés au fond du magasin ont été vidés.

Le gérant crut s'évanouir. Levant les bras, il ne sut que dire :

— Mais c'est un cauchemar !

— Si vous voulez, répliqua le spécialiste, haussant les épaules. Un cauchemar que nous vivons, vous, moi et les autres...

— Les autres ?

— Ceux qui dérobent, monsieur Cabalu. Ceux que je vais attraper grâce à mes pièges. Ils sont nombreux et viennent se réfugier dans ce magasin à grande surface. Ils se reposent le jour et la nuit ils dévorent tout ce qu'ils trouvent. Ils ne se laissent pas prendre facilement. Comme appât, cette nuit, j'ai utilisé deux barils géants de lessive, mais ils n'ont pas mordu. Ils ont l'air d'apprécier le pain d'épice, je vais les gâter cette nuit... A voir votre tête, je constate que vous ne me suivez pas bien. Il y a énormément de chômage dans votre pays, monsieur Cabalu. Dans mon pays également. Les gens sont prêts à faire n'importe quoi, à courir n'importe quel risque pour travailler. Il y a de nos jours des emplois où les risques sont grands. Les gens ne meurent pas toujours, mais ils se transforment, subissent de graves mutations, parfois effrayantes. L'intelligence atrophiée, les malheureux gardent toutefois le souvenir de leur vie passée. Les besoins se caricaturisent et donnent naissance à des attitudes nouvelles. Dans la mesure du possible, il faut éviter que la population soit au courant de ces mutations, aussi, monsieur Cabalu, vous devez observer la plus grande discrétion. Je compte sur vous. Mes confidences sont peut-être celles d'un détraqué, vous pouvez penser cela, je n'en serais nullement vexé. L'important est que je débarrasse cet hyper-magasin de ces « rats améliorés », comme vous disiez l'autre matin. Car sinon, après avoir pris suffisamment de forces, ils risquent de s'attaquer, en plein jour, aux enfants en bas âge, puis plus tard, aux clients. Cela finirait de contrarier M. Lechaire.

Au nom magique de Dieu le Père, Jules Cabalu tressaillit, comme sortant de l'hypnose où William Rinso semblait l'avoir plongé par son long discours.

— Ce que vous me dites... Mais où ces malheureux ont-ils contracté ces maladies ?

— Je vous laisse deviner. Revenons à la sécurité de ce magasin. Je vais les piéger et obstruer les ouvertures par lesquelles ils s'infiltrent. Après, ma mission sera terminée. Il ne me restera plus qu'à remettre les corps aux services spécialement créés... Remarquez, monsieur Cabalu, tout malheur a du bon, grâce à eux, je ne suis pas au chômage. Pensez que j'ai plusieurs dizaines d'inutiles diplômes, résultat de vingt-cinq années d'études.

D'anonymes camions vinrent prendre livraison, le dimanche matin, du matériel sophistiqué de l'Américain. Des ambulances discrètes prirent en charge de mystérieux patients, enveloppés, donc invisibles.

William Rinso avait tenu parole. Le nécessaire était fait.

Il monta à bord d'une limousine noire. Dieu en personne lui remit une sacoche bourrée de dollars. M. Lechaire était soulagé. Il fit avertir Jules Cabalu que l'hyper-magasin dont il était responsable n'avait plus à craindre la visite des « voleurs ».

Tous les mutants parasites, incrustés un peu partout dans les vides de la construction, étaient prisonniers ou décédés.

Cabalu regretta de ne pouvoir remercier personnellement l'Américain. Il regretta surtout de ne pouvoir lui demander comment il avait fait pour mener à bien l'opération. Quel appât utilisait-il pour attirer jusqu'à ses pièges les métamorphosés ?

Après ces grands désordres, un inventaire s'imposait.

Le gérant l'entreprit dès le lundi. Il s'aperçut alors que l'Américain avait raison. 70 % du stock en rayon était composé d'emballages vidés de leur contenu.

C'est en jetant des boîtes de conserve vides que Mlle Desfossés fit connaissance d'un mutant malin, caché entre une pyramide de produits et le mur. Elle poussa une sorte de gloussement et on la découvrit plus maigre que de coutume, la peau retournée et un grand trou à la place du visage.

Jules Cabalu téléphona sur-le-champ à M. Lechaire pour lui conter le drame.

Dieu hurla au téléphone et envoya un télex à New York pour dire à la Société employant M. William Rinso sa façon de penser.

La police débusqua le mutant rescapé qui, son forfait perpétré, s'était réfugié dans un sac géant de litière pour chats.

Le stock renouvelé, l'hyper-magasin connut des semaines paisibles.

Jules Cabalu était de nouveau en pleine possession de ses moyens et fut très surpris de constater que Mlle Rognont, sous un maquillage outrancier, lui adressait des sourires de plus en plus prometteurs.

Un après-midi tranquille, il risqua une main sur les infra-structures de la brune, rousse depuis peu, qui se laissa faire, se dégageant simplement pour lui dire :

— Voyons monsieur Cabalu. Pas ici. Venez chez moi, ce soir.

— Et votre mère âgée ?

— Nous avons un grand appartement. Vous verrez.

La journée parut interminable à Jules Cabalu. Il se retint pour ne pas étrangler les derniers clients, qui n'en finissaient pas de choisir des articles durant les ultimes minutes d'ouverture de l'hyper-magasin.

Enfin, il était au volant de son auto, et elle était là, auprès de lui, se faisant un raccord de maquillage. Sa fébrilité était telle qu'il dut se concentrer sur la conduite de son véhicule afin d'éviter tout accident. De son habituelle voix traînante, elle lui indiqua le chemin :

— Vous tournez, là où il y a ces grands bâtiments et la clôture.

Jules Cabalu n'était pas venu par ici depuis plusieurs années. Il ne connaissait pas ces bâtiments.

— Qu'est-ce que c'est, des militaires ?

— Non, une espèce de centrale, je crois. C'est assez récent. Nous sommes presque arrivés.

Elle le fit stopper devant des immeubles vétustes.

— C'est vieux, mais le loyer est très raisonnable.

Il descendit et la suivit, une foule d'images égrillardes dans la tête. Il constata que la plupart des fenêtres étaient murées et cela lui déplut, le contraria vraiment. Il avait l'impression de sombrer dans un repaire immonde, et cette malencontreuse pensée venait lui gâcher le plaisir qu'il savourait doucement depuis l'invitation de l'après-midi.

Ils gravirent cinq étages. La cage d'escalier était sinistre à souhait. Les dernières lueurs du jour parvenaient jusqu'à eux par des vitres sales et brisées.

Elle chercha ses clefs et ouvrit la porte, l'invitant à entrer.

La sensation de tomber dans un piège revint au galop et il marqua une hésitation qui ne fut guère appréciée, lui sembla-t-il, par la chef-caissière.

— Vous n'avez plus envie de bavarder avec moi, en tête à tête, monsieur Cabalu ?

Elle le ferrait dans son orgueil. Il eut un petit rire forcé et entra. Le hall était poussiéreux, et le temps avait eu raison des motifs du papier peint.

Il entendit quelque chose bouger au fond de l'appartement. Comme un chariot qui roule sur le plancher.

Elle vit son regard étonné.

— Ma mère. Elle est infirme.

Elle poussa une porte. Ils se trouvèrent dans une chambre où un lit monumental occupait la moitié de l'espace.

— Mettez-vous à l'aise, monsieur Cabalu. Je vais me démaquiller.

Il la retint, perdant brusquement son sang-froid. Il n'avait plus envie de parler et la bascula sur le lit qui poussa un gémissement presque humain.

Les ongles rouges de Mlle Rognont se plantèrent dans la joue droite de Jules Cabalu qui poussa un cri de stupeur et se mit à gifler la chef-caissière de toutes ses forces.

Le maquillage s'effrita et le nez se décolla, faisant place à une sorte de trompe obscène dont l'extrémité se plaqua soudain sur la bouche du gérant de l'hyper-magasin qui ne sut réagir face à une telle horreur.

Il eut le temps d'apercevoir, tassé sur un fauteuil d'infirme, un autre Mutant qui l'observait de ses yeux tristes où il crut lire de la convoitise.

— Moi, monsieur Cabalu, je préfère les goûters à la maison. Les magasins genre grandes surfaces, cela me coupe l'appétit. Et puis, je suis encore assez intelligente pour me mêler aux non-contaminés. Ma pauvre mère ne peut pas en dire autant, hein maman ?

— Tu vas tout te goinfrer ma chérie ?

— Et comment ! Celui-là, je le veux pour moi seule, et j'ai de bonnes raisons !

La trompe se raidit, se gonfla et, dans un terrible bruit de succion, Jules Cabalu se vida, aspiré par Mlle Rognont.

Les yeux du gérant disparurent des orbites. Ils roulèrent à l'intérieur de sa tête jusqu'à sa bouche, et furent absorbés, non sans délectation, par la chef-caissière qui enflait considérablement.

Le lit craqua d'aise.

Mlle Rognont se vautra parmi les vêtements de Jules Cabalu, et avec un rot de contentement, la trompe cracha l'enveloppe vide de chair.

— C'est la première fois que j'aspire un gérant d'hyper-magasin. Mais ce salaud-là, je m'en méfiais. Tu sais, maman, avec la peau, tu pourrais te confectionner des pneus neufs pour les roues de ton fauteuil, qu'en dis-tu? Ou une jolie ceinture?

— Tu as peut-être raison, ma fille... Mais je te laisse te reposer. Bonne nuit, ma chérie. Et demain matin, n'oublie pas de te faire une beauté avant d'aller à ton travail.

— Bonne nuit, maman.

Fun City dans Ba'Dan

par William S. BURROUGHS

Nous sommes arrivés à Ba'Dan vers minuit heure locale. Les ordures sont empilées sous les lampes à arc bleues grésillantes. Les éboueurs sont en grève. Il y a toujours quelqu'un en grève à Ba'Dan. Toutes sortes de contrebandiers se sont établis ici, bien ancrés. Tous les ans les Capitaines se réunissent, la fête annuelle des Capitaines au long cours. Une coupe en or massif est remise au Capitaine le plus vil et le plus infect. Le Capitaine Krup von Nordenholz décrochera la timbale. Il y a aussi toutes espèces de flics magouillant avec les 'Pitaines, enchristant tous ceux qui ne pigent pas le truc.

Nous hélons un sapin.

— Où est-ce qu'on se fend la gueule ici, papa?

— Eh ben, j'suppose les mecs que vous voulez aller à Fun City? Z'êtes enfouraillés au moins?

Nous nous arrêtons devant une armurerié éclairée au néon toute la nuit. Le boutiquier possède tous les modèles « Old Western », et de nouveaux spécimens 38 à double action. Ces armes lâchent une décharge aphro. Si on allume un adversaire dans le cul ou l'entrejambe le mec décroche en chiant et en déchargeant comme une baleine. Et puis il devient esclave de la pendaison. On peut le pendre sur-le-champ, à n'importe quel moment. Le coup fourré-pendaison est une des coutumes barbares de Ba'Dan. Les balles dans le cou et le cœur sont mortelles, dans l'estomac ou le plexus solaire elles deviennent des surdoses.

Alors Audrey sélectionne les armes et choisit un 38 à canon court dans son étui facile-à-dégainer. Pu glisse un 41 Derringer dans la poche de son veston et se met un Smith & Wesson 44 sous l'aisselle.

— Vachement mieux que le 45, les mecs.

Fun City se trouve sur un plateau. Pentes escarpées d'un côté vers la baie marécageuse qui sépare Ba'Dan de Yas Waddah. Sur cette pente se développe la Casbah. Maisons reliées entre elles par des trappes, des passerelles et des tunnels. La Casbah grouille de criminels. Ba'Dan bat tous les records. Pour entrer nous devons casquer, cent dollars. Nous pénétrons dans un bar S/M de cuir, *Le Nid Élastique*. Une foule compacte hante ce lieu. Une foule nombreuse se masse près du bar et tente de se frayer un passage vers les tables de jeu, montant les larges escaliers recouverts de moquette rouge où se trouvent les salles privées pour la pendaison, suivie par une meute de serveurs portant des plateaux surchargés de rafraîchissements et de seaux à champagne. L'uniforme de rigueur... bottes et pantalons de cuir, le cul et l'entrejambe à découvert. Quelques personnes portent des cuissards en peau de chamois et des chemises coupées au-dessus du nombril. D'autres sont nus à l'exception des bottes, des ceinturons et des écharpes-nœuds coulants... Des nœuds coulants pendent du plafond, à trois mètres d'intervalle... Un échange de coups de poing-pendaison attire un cercle de badauds surexcités... deux gamins se cognent sauvagement — lèvres coupées, tuméfiées, nez cassés pissant le sang. L'un d'eux est à terre — il tente de se relever et s'affaisse sur le côté. Le vainqueur se penche et lui lie les bras à l'aide de son écharpe-nœud coulant. Le gosse est immédiatement pendu et sa semence éclabousse le comptoir du bar. Consciencieusement le barman manie son torchon... Quelques cow-boys poussent des « Wahoos » en amenant un cheval sur lequel un garçon est juché, bras ligotés le long du corps. Ils vont le pendre en selle... Le barman s'empare d'un fusil à canon scié.

— TIREZ-VOUS BORDEL DE DIEU AVEC C'PUTAIN D'CHEVAL !

Les cow-boys reculent. Quelques clients les suivent pour assister à la pendaison à cheval.

Alors un vieux notable bien sanglé dans son corset arrive fusil en main, il veut des gamins pour les pendre au bal des débutantes donné en l'honneur de sa fille. C'est Pu qu'il veut, mais celui-ci l'a vu venir et a déjà son Derringer en main.

— A ta pogne jeune garnement ! ahane le vieux tueur.

Pu vise et tire, l'atteignant dans le cou. Le vieux s'écroule, pétant et chiant, son corset explose.

— Heureusement qu'il était habillé, les mecs !

Un gosse d'une quinzaine d'années, nu, passe sa tête dans l'encoignure de la porte d'entrée.

— EH ! LES CLANTON ET LES EARP SE TIRENT DESSUS A OK CORRAL !

Du bar une clameur bestiale s'élève. Les clients se bousculent entre les corps pendus, patinant dans le sperme. Puis ils se dirigent vers OK Corral... et voilà !... juste à côté se dresse une potence pour treize hommes.

Les Clanton et les Earp marchent de front, nus, à l'exception de leurs ceinturons et de leurs bottes. Ils vont se rencontrer et s'affronter, bite contre bite...

— Vous autres, les gars, vous cherchez la bagarre, grommelle Wyatt, eh ben vous l'avez trouvée. (Et il dégaine.)

Billy Clanton est allumé entre les jambes, il s'écroule au ralenti en mettant Wyatt KO d'une balle dans le plexus solaire tirée au ras du sol. Doc Holliday se tourne de trois quarts mais Ike Clanton pivote sur lui-même et vise son cul maigrichon... Virgil et Guy Earp sont au sol... Les Clanton ont gagné. Les Earp et Doc Holliday sont pendus simultanément. La foule se délecte de la pendaison... Fusillades tout au long de la rue, des embusqués aux fenêtres et dans les portes cochères, et sur les toits il y en a qui pêchent au lancer pour harponner et garotter quelqu'un dans la rue... Les gens se réunissent devant la potence, bien alignés. Les cordes sont dénouées et les corps jetés de côté. Quelques suppliciés sont encore vivants, ils sont étranglés par des voyous ou emmenés par des Bandes-Vautours errantes... Des gens sont pendus aux balcons, aux branches des arbres, aux poteaux télégraphiques. Même les chevaux sont malmenés, bondissant de tous côtés, ruant, hennissant, débourrant... les garçons dansent, font la ronde, singeant leurs mimiques... La fin de cette scène de délinquance se déroule alors que les cow-boys pétés comme des cantines sortent les putains hurlantes des bordels.

— Tu m'as refilé ta dernière chaude-lance, sale pute !

— Mon Dieu ! Ils pendent aussi les FEMMES ! s'exclame Audrey en s'étouffant.

— Y'a d'quoi pétrifier un bonhomme, grommelle le Capitaine Strobe.

— *Tirons-nous !*

Six jeunes gens vêtus de pantalons de cuir leur barrent la route.

— Alors, t'es pressé, étranger ?

— Ouais, répond Audrey en l'abattant d'une balle dans le cou, et il s'écroule contre un autre malfrat, faisant dévier sa balle.

Audrey et Pu sont incroyablement précis avec les armes-pendaisons... Tous les garçons sont hors de combat, à terre, morts.

Lentement Audrey et Pu s'éloignent, les laissant là, à la merci d'une horde de Vigiles errants... mais, avant de disparaître au coin de la rue, les Pères-Pendeurs s'emparent d'eux — ils sont nus, à l'exception de leurs cols de clergymen — ils représentent une des sectes contrôlées par le Conseil des Élus, une des plus puissantes organisations de Ba'Dan.

Nous flânons. Nous nous dirigeons vers le Jardin d'Acclimatation.

Ah, voici les ascenseurs, le parachute, les gibets-montagnes russes, et toute la variété de Roulette-Pendaison. « Bons Baisers de Russie » interprété à la roulette russe... On se tient au-dessus de la trappe, la corde au cou, un pistolet à la main, avec une seule balle réelle. On fait tourner le cylindre, mais au lieu de pointer le canon de l'arme vers sa tempe on vise au hasard quelqu'un parmi les spectateurs, à condition de pouvoir allumer quelqu'un dans la foule ou au premier rang... si c'est la balle réelle le coup part... peut-être qu'un jeune con va balancer un pétard sous la potence... Ces Russes sont une menace constante dans le Jardin d'Acclimatation... Soudain ils surgissent à bord de leurs véhicules, ils établissent des barrages aux extrémités d'une rue populeuse, noire de monde, leurs camions-potences sont là, et ils commencent à faire les cons avec des grenades offensives et des pistolets-mitrailleurs — éventuellement, un jour ou l'autre, ils réussiront à fabriquer une bombe atomique — certains sont armés de fusils de chasse à lunette, ils peuvent allumer un mouflet à 400 mètres... on peut alors communier avec le jeune garçon fusillé en déchargeant copieusement. Gratinés les Ivans ! Ils ont une belle mystique !

Alors la façade d'un immeuble vole en éclats. Treize gauchos tentent de la retenir. Nous nous dispersons dans le jardin. Les balles sifflent à nos oreilles. Nous prenons position derrière l'immeuble-ascenseur-potence. Nous sommes couverts. Dix étages, 90 mètres de longueur. Nous commençons au dixième étage avec une corde autour du cou, nous descendons à toute vitesse. Dès que l'ascenseur s'*arrête* nous *connaissons* la sensation, une trappe-panneau s'ouvre, et t'es nase !

Naturellement on peut jouer à la roulette dans les ascenseurs à n'importe quel prix. Audrey éprouve une certaine faiblesse — ce sont les pollutions nocturnes de son adolescence — descendant très vite dans un ascenseur qui subitement s'immobilise. Il s'éveille en éjaculant. Il ne savait pas ce que tout cela signifiait à ce moment-là. Il faut tenter le coup.

Alors il remonte au dixième étage. Un corridor recouvert de moquette écarlate traverse l'immeuble. D'un côté les Bains Turcs, de l'autre les ascenseurs, des lumières vertes clignotent dès que les ascenseurs sont vides. Des adolescents aux tailles ceintes de serviettes ou nus sortent des douches et des bains de vapeur en se répandant dans le corridor.

D'un signe, impérieux, Audrey interpelle un garçon de cabine.

— As-tu une Chambre de Méditation bien équipée ?
— Oh oui, monsieur. Par ici, monsieur. Très raisonnable

de votre part, monsieur, si vous me passez l'expression, monsieur.

Les adolescents grognent.

— Viens donc ici que je te tâte à l'œil. *Hombre conejo.* Putain d'chaud lapin.

A l'intérieur de la Chambre de Méditation les jeunes gens se coiffent de casques. Il y a des écrans et des cadrans partout — tous les coups sont permis — Serait-ce un ascenseur ouvert? — Pleine lune. Les lumières de l'archi-ennemi clignotent de l'autre côté de la baie... Audrey était capable de jeter de terribles sorts... ou quelque chose avec des miroirs et des vidéoscopes... Films d'amateurs pour les amis quand il possédera un bungalow confortable dans le quartier résidentiel de Ba'Dan... Tout est permis dans la Chambre de Méditation. Audrey, alors, se laisse aller, tout simplement. Un ascenseur ouvert ou un jeu de miroirs? Pourquoi pas les deux, simultanément.

POP POP POP

Il décharge et éclabousse la mort sur Yas Waddah à travers la baie. Puis il tâtonne cherchant les hermaphrodites et les greffes de Yas Waddah. Deux de ces créatures apparaissent, se tortillant, vocalisant.

— Tu *sais* ce qui se passe *maintenant* n'est-ce pas, Audrey?

Jerry et une fille rousse sont tête-bêche. Les longs cheveux de la fille caressent ses mamelons. Audrey en les apercevant a les Gorgon Queezies et son estomac se contracte.

— Audrey, tu vas être *pop.*

Un ascenseur ouvert pour ce truc-là.

— *En avaaaaaaant...,* la chevelure rousse se hérisse, auréolant son visage de flammes infernales.

POP

Audrey apprend à se détendre et lâche ses *pops.* Début d'incendie dans un entrepôt de l'autre côté de la baie.

Et voici la tête d'une gonzesse *et* ses nichons greffés sur le corps svelte d'un jeune homme. Nous l'enculons à la chaîne... Quand vous lancez un défi à ces créatures pour jouer à la roulette-pendaison elles deviennent maussades comme des vampires frustrés.

— Eh ben, si vous l'prenez *comme* ça, et elles disparaissent.

Alors c'est la Grande Ourse, avec ses tours s'élevant à plus de 200 mètres dans le ciel illuminé. Les étoiles clignotent au-dessus de la plus gigantesque et rapide montagne russe du système solaire. Et comme je vous le disais Ba'Dan bat tous les records... Audrey s'arrête devant un petit bistro qu'il connaissait dans cette ruelle et tourne à droite... ils s'assoient sous une tonnelle et commandent du thé à la menthe, ce qui leur flanque une énorme dose de Chair de Poule Chatouillante.

— Vous les gars, vous jouez mon jeu, hein? Quand je vais *pop* donnez-moi toute votre Chair de Poule Chatouillante.

— Bien sûr vieux pote.

Audrey, subitement, se souvient d'une petite boutique très fermée — on ne rentre pas par la porte, on ne la *trouve* même pas, à moins que le propriétaire vous ait à la bonne — Audrey l'a connu à Mexico City quand il était détective privé. C'est ici qu'il achète des sandales *Winged Mercury* et un casque orné d'ailes d'aigrette. L'ensemble est parfait avec une baguette d'argent.

Puis ils louent une voiture sur la Grande Ourse. Audrey, debout, une corde de soie argentée autour du cou, les jambes bien écartées, genoux ployant, suivant le balancement de la voiture, agitant sa baguette d'argent — et ça monte, ça monte, monte, monte — Audrey bande — un arrêt vertigineux et la Grande Ourse descend, descend, descend, descend, et ralentit. Audrey tend le bras et la baguette vibre en direction de la Centrale Électrique de Yas Waddah.

POP

Toutes les lumières de Yas Waddah s'éteignent.

Quelques vues de la ferme "Mary"
Region de Korvallö, Niveau 123...

un reportage de P.LESUEUR..

UNITÉ
PONDEUSE
N° 87

La Science-Fiction et le Politique

par Dominique DOUAY et Pierre GIULIANI

« (La science-fiction) est radicale par son attitude et son tempérament, mais fortement conservatrice par son alignement », écrivait en 1960 Kingsley Amis dans un essai qui, à l'époque unique en son genre, a longtemps fait autorité (1). « La S-F se porte bien, merci, et elle vire à gauche ! » lui répondait en 1974 un chroniqueur de *Fiction* (2). Entre ces deux avis, une décennie et demie, l'agonie d'une forme de science-fiction et la naissance d'une autre. Et aussi, mais il sera utile d'y revenir plus avant, l'amorce d'une mutation profonde dans la configuration des sociétés capitalistes.

D'abord délimiter aussi précisément qu'il est possible le lieu et l'objet de ce qu'il convient de considérer non pas comme une étude définitive, mais *comme l'approche, à un moment donné, d'une telle étude*. Le lieu : la période qui va du début des années 70 (ou de la fin des *sixties*) à ce jour, avec une très nette préférence pour ce qui s'est écrit en France dans le domaine qui nous préoccupe. L'objet : la science-fiction et le politique. D'où le problème liminaire inévitable, consistant à tracer une ligne de partage entre idéologie et politique afin de mieux préciser cet objet. La place manquant ici pour en affiner la définition (et, inci-

---

(1) *L'Univers de la science-fiction*, par Kingsley Amis, Petite bibliothèque Payot, p. 129.
(2) Bernard Blanc, in *Fiction* n° 245.

demment, pour apporter notre pierre à une déjà longue querelle), nous nous en tiendrons au postulat traditionnel selon lequel le politique est la traduction concrète de l'idéologie, sa mise en œuvre factuelle. Ce qui nous permettra de conseiller au lecteur avide de connaître ce qu'il en est du couple S-F/idéologie la lecture d'un article paru ailleurs (1).

Beaucoup a déjà été dit et écrit, d'ailleurs, sur l'idéologie véhiculée par la science-fiction, beaucoup, surtout, *devra* être dit. En effet (et rien que pour le plaisir de nous citer nous-mêmes), « si le temps de la littérature et le temps de l'histoire ne coïncident pas, si leurs télescopages ponctuels sont déviés, tout se passe comme s'il fallait reconnaître à cet égard un statut spécifique à la science-fiction comme une littérature qui établirait le minimum de médiations dans ses télescopages avec·l'histoire. Les « grandes collisions de l'histoire » qui marqueraient les césures et les recoupements avec la littérature apparaissent bel et bien comme les *collisions propres* de la science-fiction en référence à *son histoire* » (2). Ce qui apparaît dès lors, c'est la nécessité de reconnaître la S-F comme moyen d'expression privilégié d'une classe sociale déterminée. Aucun doute : par les conditions de sa naissance, par les mutations qui en ont marqué l'existence, la science-fiction apparaît comme le produit des heurs et malheurs des sociétés bourgeoises impérialistes.

Dans un récent essai (3) consacré à la S-F américaine mais dont bon nombre de considérations peuvent être transposées au domaine français, voire élargies à l'ensemble de la S-F occidentale, Gérard Klein précise les contours du groupe social auquel appartiennent les auteurs de S-F. Son hypothèse, fondée en grande partie sur les travaux de Lucien Goldmann, est que le véritable sujet d'une œuvre est la

(1) *Science-fiction et idéologie,* par P. Giuliani et D. Douay, in *Europe,* septembre 1977.

(2) P. Giuliani et D. Douay, art. cit.

(3) *Malaise dans la science-fiction,* par Gérard Klein, in *Cahiers du Laboratoire de prospective appliquée* nº 4, sept. 1975; repris par les Éditions de l'*Aube Enclavée* (Metz, 1977).

situation du groupe social auquel appartient son auteur, et que l'angoisse que peut convoyer l'œuvre est celle provoquée par l'inadaptation de ce groupe social au changement de la société globale, changement qui peut aller jusqu'à entraîner la dissolution du groupe. Or comment ne pas voir que, depuis la fin des années 60, « le groupe social qui nous intéresse vit interminablement l'heure de sa mort, et (...) l'exprime fortement (...) dans sa littérature, la science-fiction »? Fins du monde en tous genres, cataclysmes francs ou sournois mais presque toujours définitifs, l'éventail est vaste... Mille façons de raconter *une* réalité, celle de la perte par un groupe social déterminé (ou peut-être par l'ensemble de la classe moyenne) de son statut particulier, mille symboles qui recouvrent son laminage, sa prolétarisation dans un monde où le capitalisme, de restructuration en restructuration (et, bravo, vous avez gagné, celle à laquelle nous sommes en train d'assister n'est sans doute pas la moindre) accroît ses pouvoirs dans le même temps qu'il réduit sa base sociale.

A la définition sociologique de Klein fondée sur le statut économique (le groupe social), nous préférons quant à nous une approche « culturelle » fondée sur le statut idéologique des couches petites-bourgeoises. Vieux débat qu'il serait vain de relancer ici. D'autant que le diagnostic, au moins en ce qui concerne la classe moyenne, est sensiblement le même.

Sous cet éclairage, le cours de la science-fiction apparaît moins heurté qu'il aurait semblé au premier abord : quelques méandres, mais pas de brutal changement de lit. A l'époque où les classes moyennes pouvaient raisonnablement penser faire partie intégrante de la bourgeoisie détentrice des moyens de production, correspond une S-F lyrique et épique : ce qu'on y conte en fait, c'est l'explosive croissance des forces productives et l'exportation de la plus-value. Puis c'est la guerre, la guerre froide ensuite, enfin les guerres coloniales. L'impérialisme, à ce jeu, perd son masque d'innocence, le capitalisme celui de la rationalité. Les couches moyennes intellectuelles prennent conscience de leur faiblesse, entrevoient la perte de leur statut. C'est l'ère du pessimisme. Les héros désenchantés quittent les étoiles, regagnent la Terre. Mais ils n'empêcheront pas l'émergence des multinationales. Au pessimisme succédera « la grande imprécation ternaire : pollution, surpopulation, déshumanisation » (1). Faute d'accepter la réalité de la lutte des classes, il ne reste plus aux couches moyennes intellectuelles qu'à hurler leur désarroi. Le laxisme idéologique est mis en relief par la volonté constante d'éviter la critique radicale des rapports de production et des rapports sociaux qu'ils déterminent, critique que semblait pourtant logiquement amener l'essentiel de ce qui s'est écrit en S-F. Au laxisme idéologique correspondra nécessairement l'incohérence au niveau politique.

Dire ce qu'il en est du couple S-F actuelle et politique revient dès l'abord à faire justice du mythe persistant qui a pour nom « nouvelle science-fiction française ». Après la *speculative fiction* américaine, la *new wave* anglaise, il fallait bien trouver un terme générique pour désigner les auteurs de l'Hexagone. Au sortir des années noires, Daniel Walther, le premier semble-t-il à se saisir du problème, tenta d'imposer *fiction spéculative*. Mais les mystères de l'édition firent que l'anthologie qui devait constituer une sorte de manifeste de cette école (2) vit sa publication constamment retardée et ne fit, lors de sa parution, pas plus de bruit qu'un pétard mouillé. C'est qu'entre-temps, l'idée avait fait son chemin. Les éditeurs, flairant peut-être là l'occasion de promouvoir une opération commerciale, avaient préféré à cette appellation obscure celle, beaucoup plus commode, de « nouvelle S-F française » — et les critiques de tous bords, accourant à la rescousse, ne firent pas peu pour créer ou entretenir les ambiguïtés de la situation.

Appellation commode : les auteurs français ayant longtemps été tenus dans le ghetto de la sous-culture, tous, même ceux qui écrivaient depuis des lustres, pouvaient s'en réclamer et, parés d'une nouvelle virginité, se présenter comme les chefs de file de cette « école ». Le malheur, c'est que parallèlement d'autres, généralement débutants, prétendaient annexer ce terme au nom d'une « nouveauté » purement formelle, afin d'asseoir une autorité que leurs

(1) Gérard Klein, op. cit.
(2) *Les Soleils Noirs d'Arcadie*, Éd. Opta, coll. Nébula.

131

œuvres n'étaient pas encore en mesure de leur offrir. Pour ces derniers, il s'agissait avant tout de fixer des critères permettant d'exclure, donc de limiter les adhésions à leur école. Critères variant d'un individu à l'autre, ou presque, de la punkitude la plus salonnarde à l'ultra-gauchisme de patronage, en passant, « nouveaux gourous » (tiens, tiens... *nouvelle* S-F, *nouvelle* philosophie...) obligent, par la défense et illustration du système en place sous couvert d'un anarchisme de bon ton. Selon les époques et les intérêts tactiques des uns et des autres, le microcosme de la S-F française assiste à des mises en accusation publique (on n'en est pas encore à la mise à l'index ou à l'exclusion, mais tout espoir n'est pas perdu, ça peut venir !) comparables à celles qui ont illustré l'histoire du surréalisme ou, plus près de nous, celle de l'Internationale Situationniste (le sens du gag — ou celui du drame — en moins) ou à des réconciliations / assimilations / simplifications dignes du plus pur poujadisme.

En réalité, chaque auteur tentant peu ou prou cette annexion à son profit, on pourrait prétendre sans trop caricaturer que chacun forme une école à lui seul... Dans ces conditions, il serait vain de rechercher une quelconque cohérence politique là où n'existe qu'un puzzle aux pièces plus ou moins bien imbriquées les unes dans les autres; seules certaines attitudes communes pourront être mises en évidence. Écologisme a-critique, position de désir, défonce tous azimuts : les nouvelles valeurs auxquelles se réfèrent, au niveau tendanciel du moins, les couches moyennes intellectuelles, s'investissent massivement dans la S-F, tendent à s'ériger en système à l'intérieur de celle-ci. A l'attaque de front, l'idéologie dominante préfère l'infiltration. Le processus est connu et s'applique avec succès à la contre-culture et à la S-F. Le maximum de « permissivité » n'est que la manière radicale du maximum de « libéralisme avancé ».

La science-fiction désirante occupe à cet égard une position stratégique. A ma droite la schizophrénie droite-fasciste, à ma gauche la paranoïa gauche-gauchiste... ou l'inverse. Et l'on ne s'étonnera pas de retrouver parmi ceux qui se rangent sous sa bannière les tenants d'un nihilisme parfois assimilable dans son discours à celui de « l'État SS ». Les Lieutenants Kijé et autres dignes militants d'une S-F que l'on croyait disparue n'ont pas à s'inquiéter : la relève se prépare.

Au demeurant, on aurait tort de croire que la bonne vieille droite abandonne le terrain. Sans sombrer dans la paranoïa, il est au contraire loisible de constater les signes précurseurs d'une reprise en main. C'est long, mais ça persiste. Une chose est de le noter, une autre d'en apprécier les médiations. Les épigones donnent le ton. La revue *Horizons du Fantastique* est passée en quelques années des béatitudes de la métaphysique orientale et des ésotérismes façon *Planète* première manière à des discours fascistoïdes dans lesquels certains ont rêvé explicitement de chemises brunes (1). La revue a sombré courant 1976, emportée par les délires mégalomaniaques de ses dirigeants, mais la relève était assurée par *Spirale,* dont le premier numéro contenait d'assez belles prestations de Maurice Limat et Gabriel Jan, deux auteurs du Fleuve Noir (2), auxquels venait peu

(1) Le parallèle entre les deux revues ne manque pas d'intérêt lorsque l'on sait que Louis Pauwels constitue l'un des piliers de l'extrême droite européenne.

(2) Quelques citations pour nous permettre de rire un peu...
De Maurice Limat, ce jugement définitif : « D'aucuns tenteront de t'affirmer que (...) cette science-fiction n'est qu'une fiente-miction dont le rôle est d'achever de saper ce qui reste propre, pur, dans notre pauvre univers. (...) Ils ne sont que des morts-vivants, qui se croient ferments du futur alors que n'étant rien d'autre que résidus de cette société qu'ils haïssent, morpions vilipendant le pubis qu'ils dévorent ». Plus loin, une approche plus précise de ces « d'aucuns » : « Ils sont irresponsables puisqu'ils ont tant de mal à épeler notre langue »... Faut-il traduire métèques ou juifs?
« Incapables de créer, sinon le genre Scatologie-Fiente (...), ces « révolutionnaires » débiles entreprennent la destruction organisée (...). Le verbe, pour eux, n'est autre qu'un caméléon jouisseur qui allie avec démence l'anarchie, le sabotage, la pornographie à l'outrance, la boue, la vulgarité... (...). Mais au fond, en réfléchissant bien, on peut les comprendre, ces pauvres déchus, puisque leurs yeux de taupe ne leur permettent pas de voir autre chose que la fange de leur milieu », écrivait d'autre part Gabriel Jan qui concluait superbement par : « Quand l'urine est tirée, il faut la boire ! »

après s'adjoindre Georges Murcie, autre auteur du Fleuve Noir (coïncidence?) (1), le tout servi par des éditoriaux et articles qui ne peuvent laisser aucun doute sur la politique rédactionnelle suivie par la revue. Celle-ci semble avoir succombé à son tour, mais le flambeau, n'en doutons pas, sera repris... A citer aussi, une post-face de Serge de Beketch à un roman de Philip K. Dick (2) où le rédacteur en chef adjoint de *Minute* essaie de démontrer que Dick est dans le même camp que lui ou l'y a rejoint. A relever aussi, pour en terminer avec une liste non exhaustive, les violentes diatribes anti-marxistes d'un Boris Eizyckman dans les colonnes de *Fiction* (qui, d'une façon générale, affirme dans ses chroniques et dans ses textes un anti-communisme rase-bitume et parfois un anti-gauchisme de même, ce qui est relativement nouveau pour les années récentes) (3)... On pourrait multiplier. Le bilan n'a rien de réjouissant.

Cette tentative de reprise en main, de quoi est-elle le symptôme? Apparaît ici l'investissement de l'idéologie dominante dans la contre-culture et, à travers celle-ci, la S-F. Le procès en « contre-culturisation » de l'imaginaire collectif, celui, du moins, des fractions les moins débiles des couches moyennes intellectuelles, s'effectue dans le même mouvement qui tend à *fantastiser* la S-F. Au terme d'un discours que des générations d'auteurs ont affiné, on se retrouve dans une position de repli, de retour en arrière, de retraite en désordre. L'on sentait bien que, à force d'in-

(1) In *Spirale* n° 3 : « Il semble bien que, pour certains, le degré d'intelligence d'un individu soit directement proportionnel à la couche de crasse qui le recouvre et que la valeur de ses œuvres soit en relation étroite avec le nombre de termes excrémentaux qu'il y introduit. (...) L'Amérique conserve, il est vrai, la vedette; mais le paradis, maintenant, c'est trop souvent l'Amérique Latrines... ». Et Georges Murcie de conclure lui aussi en plein lyrisme scatologique par : « Ces gens-là (...) devraient écrire directement sur papier hygiénique; ça permettrait de gagner du temps. On n'aurait plus qu'à tirer la chaîne ! »

(2) *Le prisme du néant*, Éd. le Masque.

(3) A signaler, tout de même, les changements qui paraissent se dessiner au niveau de la rédaction de cette revue. Affaire à suivre, donc.

sister, on allait convoquer les grands absents de la S-F, la classe ouvrière et la lutte des classes, aux agapes réitérées de la bonne éducation.

Mon Dieu, comme la révolution serait belle si on pouvait se la faire entre nous !

Revoici donc « la grande imprécation ternaire » qui fixe les critères d'une nouvelle littérature fantastique, véhiculant les angoisses inconscientes de la classe moyenne. Les fantômes ont disparu, remplacés par la pollution. De modernes vampires ont chassé Dracula; bottés, casqués, revêtus d'uniformes noirs, ils utilisent la technologie militaire la plus sophistiquée, et leurs malheureuses victimes n'ont même plus la ressource de suspendre de l'ail à leur porte, de brandir un crucifix devant eux ou de se terrer dans une cachette sûre jusqu'au lever du jour... Mais les sociétés policières fondées sur la terreur ne sont pas une réalité nouvelle. Telles étaient déjà les conditions de la vie quotidienne de la classe ouvrière à l'époque de l'accumulation du capital, telles sont celles de l'existence des peuples sous domination coloniale, néo et semi. Il aura fallu attendre plus de vingt ans pour qu'Hitler ou ses avatars littéraires fassent leur entrée en force dans la S-F. En même temps ou presque que les films-catastrophe produits à grands frais par les *major-companies* américaines dans le domaine cinématographique. Ce n'est pas un hasard.

Ce qui se passe, c'est qu'une fois de plus les classes moyennes intellectuelles se trompent de cible. Puisant leurs exemples dans un passé considéré comme connu ou dans les manifestations les plus tangibles des méfaits du capitalisme, elles croient, par leurs imprécations, pouvoir faire l'économie de l'analyse et de la critique radicale du système. Aux restructurations actuelles du capitalisme et à l'implantation sournoise des néo-féodalités (cependant bien « vues » dans les œuvres d'auteurs anglo-saxons tels Dick, Zelazny ou Spinrad), les écrivains préfèrent la description minutieuse des appareils militaro-policiers, substituant ainsi l'épiphénomène au phénomène, l'effet à la cause. Une fois de plus, inconsciemment, on brouille les cartes.

« La S-F vire à gauche ». C'est effectivement ce qui semblait ressortir, en mars 1974, d'une table ronde organisée lors de la Première Convention Nationale de Science-Fiction de Clermont-Ferrand. Mais le temps a passé, et le virage dessine maintenant la figure énigmatique du *yin* et du *yang*. A force de virer, la S-F tourne en rond.

S-F froide et S-F chaude
ou notes sommaires pour une approche mac luhanienne de la science-fiction

par Denis GUIOT

Médium et science-fiction

Selon René Laborderie, le médium est « cet intermédiaire, ce médiateur qui intervient pour faciliter ou établir la communication lorsque le contact immédiat entre les choses ou les êtres n'est pas possible » (1). C'est donc le véhicule du message allant de l'émetteur au récepteur, le canal reliant le destinateur au destinataire. Mais pour Mc Luhan, « l'assimilation du médium au canal de communication reste trop restrictive, car les groupes, les institutions, les objets porteurs de symboles, ou constituant un signe sont considérés comme tels. A la limite, tout ce qui est culture (par opposition à la nature) appartient à cette catégorie et mérite d'être étudié au titre de la communication » (2). Au fond, pour Mc Luhan, « la communication

---

(1) *Les images dans la société et l'éducation* (Casterman), cité par Jeanne Martinet dans *Clefs pour la sémiologie* (Seghers).
(2) Alain Bourdin, in *Mc Luhan,* p. 39 (Coll. Psychothèque-Éditions Universitaires).

n'est pas un *domaine,* mais un *champ* » (3). Et il la met dans tous les circuits de la vie sociale.

La S-F, selon ce point de vue, peut parfaitement être considérée comme médium. Par ailleurs, en ayant à l'esprit que « l'effet du médium est puissant et intense parce qu'on lui donne un autre médium comme contenu » (4), la S-F apparaît comme un médium transversal supporté par ces autres média (le terme est utilisé cette fois dans son sens « classique ») que sont le livre, le film, la BD...

« Hot » and « Cold »

Selon Mc Luhan les média sont répartis en « chauds » et « froids ». « Un médium est chaud lorsqu'il prolonge un seul des sens et lui donne une haute définition » (5). Ainsi, « pour un message donné, plus le nombre d'informations est grand, plus la substance informante est dense, plus le message est chaud et inversement. On ne confondra pas cette température du message avec son contenu référentiel : un message est plus ou moins chaud dans la mesure où il fournit plus ou moins d'éléments de décodage pour un signifié donné quelles que soient la richesse ou la pauvreté de ce signifié » (6). Ainsi la radio, le programme d'une chaîne de montage, une photo sont chauds. Le message est dépourvu de toute ambiguïté. Il n'exige de la part du destinataire aucune participation créatrice, simplement une réponse. Un médium chaud possède un faible degré d'exigence et ne heurte pas la conscience qu'a l'individu de son univers. Par la simplicité du décodage, il le conforte dans son caractère unidimensionnel.

Un médium froid implique le récepteur dans la communication. En effet, le sens du message est donné, en partie, par ce dernier car le décodage est complexe et source d'ambiguïté. L'individu interprète le message, reconstitue

(3) Alain Bourdin, *op. cit.,* p. 117.
(4) Mc Luhan, *Pour comprendre les média,* p. 34 (Mame).
(5) Mc Luhan, *op. cit.,* p. 39.
(6) Pierre Guiraud, *La sémiologie,* p. 21-22 (Coll. Que sais-je ? — PUF).

les éléments manquants. Sa créativité est sollicitée. Ainsi
« le téléphone est un médium froid, ou de faible définition,
parce que l'oreille ne reçoit qu'une faible quantité d'informations » (7). La télévision est froide car son image
« propose à chaque seconde trois millions de points au
téléspectateur qui n'en retient à chaque instant que quelques douzaines pour en composer une image (...) L'image
de télévision est visuellement pauvre en données (...) Elle
est de faible définition » (8). La parole aussi est froide
puisque « l'auditeur reçoit peu et doit beaucoup compléter.
Les média chauds, au contraire, ne laissent que peu de
blancs à remplir ou à compléter. Les média chauds, par
conséquent, découragent la participation ou l'achèvement
alors que les média froids, au contraire, les favorisent »
(7). Ces derniers refusent l'espace-temps continu et
borné au profit d'une mosaïque d'informations, exigeant de
la part du destinataire un haut degré de participation qui
le projette hors de sa passivité.

De même que la notion de médium ne s'était pas limitée
au canal pour s'étendre à tout ce qui était communication,
la dichotomie chaud/froid ne s'applique pas qu'aux seuls
média traditionnels. La typologie des canaux de communication fait place à une typologie de ce qui est commu-
niqué et peut même devenir une typologie des styles. Ainsi
l'expressionnisme bouclé sur lui-même, l'art figuratif
sont « chauds » tandis que l'impressionnisme, l'art abstrait
sont « froids ». Cette notion de « chaud » et de « froid » met
en lumière l'évolution historique de la science-fiction.

Du space opera « chaud » à la speculative fiction « froide »

La « old S-F », celle des années 30 qui a mûri dans le giron
d'*Amazing Stories,* est « chaude ». Principalement le space
opera qui fonctionne sur des archétypes universellement
reconnus : astronefs aux performances inouïes, planètes éloignées, affreux extra-terrestres, armes suprêmes, combats de
fusées, courageux cosmonautes, savants fous, etc. Le code

(7) Mc Luhan, *op. cit.,* p. 40.
(8) Mc Luhan, *op. cit.,* p. 342-343.

est simple et admis de tous, il délivre un message sans ambiguïté : celui de la croyance aveugle en la science et de la supériorité de l'American Way of Life. Il n'y a qu'à relire la série des « Lensmen » de E. E. Doc Smith (9), prototype du space opera des années 30. Ce type de S-F refuse toute participation et n'admet qu'une seule réponse : une lecture passive, avec son corollaire : le fandom (10) qui fonctionne sur l'anathème, le sectarisme et l'exclusion (Mc Luhan note que « les formes chaudes excluent et les formes froides en-globent ») (7).

La nouvelle S-F (New thing, speculative fiction, qu'im-portent les étiquettes), née dans les années 60, s'est dépouillée de tout ce bric-à-brac hétéroclite à base de gadgets infantiles. Délaissant les codes simples et les sys-tèmes bouclés, brouillant les données en opacifiant les déco-dages, elle s'est considérablement refroidie. Dans la S-F actuelle règnent l'ambiguïté et la subversion des codes. Le lecteur ne peut plus rester passif, car les informations ne sont plus mâchées, prédigérées. Agressé, dérangé dans son petit confort béat, il doit participer, faire preuve de créati-vité. *Il est inclus dans le médium* car c'est lui qui fournit, en dernier ressort, le message.

Le message, c'est le médium

Prenant l'exemple de la parole, Mc Luhan note qu'elle a été « la première technologie qui a permis à l'homme de lâcher son milieu pour le saisir d'une autre façon ». Et d'ajouter : « Tous les média sont des métaphores actives en ce qu'ils peuvent traduire l'expérience en des formes nou-velles » (11). La S-F est une manière nouvelle d'appréhender le réel : « Nous sommes dans une ère où la science et la technologie déterminent et modifient les attitudes et les comportements des hommes, outre les conditions naturelles de leur vie quotidienne, et agissent même sur leur sub-

(9) La série des *Fulgur* (Coll. Super-fiction-Albin Michel).
(10) La première convention mondiale s'est tenue à New York en 1939.
(11) Mc Luhan, *op. cit.*, p. 77.

conscient à un degré difficile à évaluer mais très élevé; la science-fiction est la seule forme littéraire qui reflète cet état de choses. D'autre part, en affirmant son caractère fictif, la S-F met l'accent sur le fait qu'elle s'intéresse avant tout à la manière dont la présente évolution est perçue par la subjectivité humaine, aux rapports qui s'établissent entre imagination et réalité » (12). Comment ne pas mettre en parallèle cette réflexion de Duvic avec la phrase suivante de Mc Luhan, parlant de l'artiste qui « capte le message du défi culturel et technologique plusieurs décennies avant que son choc transformateur ne se fasse sentir. Il construit alors des maquettes ou des sortes d'Arche de Noé pour affronter le changement » (13). La S-F, médium à part entière, agit sur les consciences et bouleverse la société. Ce ne sont pas les récits et leur cortège de thèmes qui sont importants en eux-mêmes, mais le fait qu'ils soient inclus dans un champ science-fictif dont l'importance se situe bien au delà de la simple somme de ses éléments constitutifs.

Pour la S-F comme pour les autres média, *« le message, c'est le médium »*. Et la mutation essentielle pour passer de la « old S-F » à la « speculative fiction » ne pouvait se situer qu'au niveau d'une mutation du médium.

Réversion, hybridation et implosion

Mc Luhan écrit : « Je veux montrer qu'il se trouve dans tous les média ou toutes les structures ce que Kenneth Boulding appelle une limite de rupture au delà de laquelle le système se transforme abruptement en un autre, ou dépasse dans ses processus dynamiques un point de non-retour » (14). Et Alain Bourdin ajoute : « Or, tous les média ou toutes les structures ont besoin d'atteindre cette limite pour se réaliser vraiment. Ils sont condamnés à entrer en crise à un moment donné de leur évolution. »

(12) Patrice Duvic, in *Informations et Documents* n° 325, Spécial S-F.
(13) Mc Luhan, *op. cit.*, p. 85.
(14) Cité par Alain Bourdin, *op. cit.*, p. 58.

Le space opera engoncé dans ses stéréotypes ne pouvait que surchauffer. Poussé par l'évolution scientifique galopante, il s'est contenté de réagir par une inflation des clichés : fusées plus rapides, planètes plus éloignées, etc... mais le code ne changeait pas. Le space opera se répétait dans un univers de redondance. Or, la redondance définit le degré d'exigence d'un médium : « Le degré d'exigence est l'évaluation (ou la mesure) des chances de compréhension ou des risques d'erreur que détermine un canal ou un code » (15). Plus le médium est chaud, plus son degré d'exigence est faible (le degré d'exigence, notion introduite par Kenneth Boulding, est synonyme de la participation Mc Luhanienne.) Et lorsque le degré d'exigence d'un médium atteint des valeurs extrêmes, il entraîne la réversion du médium en question. C'est ce que Mc Luhan appelle « la loi de réversibilité des média surchauffés ». Le médium atteint la limite de rupture chère à Kenneth Boulding. La S-F aux structures chaudes parvenues au point de « perfection » (ou de saturation) qu'était le space opera s'est retournée comme un gant pour donner naissance à un nouveau modèle, dont la température, cette fois, est basse. Outil de cette mutation : l'hybridation.

« L'hybridation ou la rencontre de deux média est un moment de vérité et de découverte qui engendre des formes nouvelles » (16). Mc Luhan cite cette réflexion d'Eisenstein : « Tout comme le cinéma muet appelait le son, le cinéma parlant appelle la couleur. » Nous pouvons dire de même que le space opera appelait la speculative fiction. Et la réversion du médium S-F s'est produite grâce au phénomène d'hybridation. Sur la S-F sont venues se greffer des techniques narratives nouvelles : celles du Nouveau Roman, de Dos Passos, des surréalistes, de Joyce, de Roussel, etc., qui ont permis la naissance de la S-F moderne : celle de Brunner, Walther, Ellison, Jeury, Houssin, Ballard, etc. Cette S-F aux structures froides englobantes à fort degré d'exigence crée lors de la lecture un espace conflic-

(15) Alain Bourdin, *op. cit.*, p. 33.
(16) Mc Luhan, *op. cit.*, p. 75.

tuel à l'intérieur duquel le lecteur doit agir, puisque l'œuvre froide s'achève et ne prend sa finalité que dans le récepteur.

Cette hybridation de la S-F était on ne peut plus indispensable. En effet, le xxe siècle est le siècle de l'électricité. L'homme ayant quitté une culture mécanique pour une culture électrique, sa vision du monde s'est modifiée. De linéaire et séquentielle, elle est devenue simultanée. (Rappelons que les média électriques tels que la TV et la radio permettent à des millions d'individus de percevoir le même événement au même moment.) De cette évolution de la pensée, la « old S-F » ignorait tout, prisonnière de conceptions stylistiques datant du xixe siècle. Paradoxe savoureux, dès sa naissance, la S-F apparaissait dans ses formes comme un outil archaïque, en contradiction flagrante avec ses ambitions. Si elle voulait jouer le rôle de métaphore active et bâtir les « Arches de Noé » Mc Luhaniennes, la S-F ne pouvait qu'être appelée à muter : la réversion par hybridation était inscrite dans ses gènes.

De plus, il ne faut pas oublier que si le médium influe sur la société, celle-ci, dans un effet de feedback, réagit sur lui. Sous l'action du refroidissement des média (passage de la page imprimée à l'audio-visuel, des arts figuratifs aux arts abstraits), la société s'est refroidie. De nouveaux courants de pensée et des styles de vie différents sont nés dans les années 60 qui prennent carrément le contre-pied des valeurs préétablies : la raison est mise en accusation, la science est considérée comme dangereuse. L'homme moderne dont le « savoir codifié et socialisé » (17) est très chaud recherche, par compensation, une expérience affective froide. Cela se traduit par une volonté de participation dans les rapports humains (vie et communauté) et dans les recherches artistiques non figuratives, décodifiées et désocialisées. « Enrégimenté sur le plan du savoir, comme moderne est déboussolé sur celui du désir » (17). Le space opera, ode figée à la raison et à la science triomphantes, ne pouvait qu'être mis à bas au profit de structures littéraires désaliénantes permettant une libre circulation du désir.

(17) Pierre Guiraud, *op. cit.*, p. 24.

143

Mc Luhan qualifie d'implosion cette trajectoire du chaud vers le froid. « L'implosion est un redoutable retour en soi-même avec tous les dangers de névrose et de schizophrénie que cela représente » (18). Mais la schizophrénie n'est-elle pas « la stratégie qu'invente une personne afin de vivre une situation invivable » ? (Ronald Laing.) En quittant la sphère chaude des divertissements de masse surcodés, la science-fiction, devenue expression artistique à part entière, a lié son devenir à ceux de l'homme moderne et de la société occidentale.

(18) Alain Bourdin, *op. cit.*, p. 59.

grand concours
S-F J'AI LU

Amateurs de science-fiction, vous trouverez dans ce numéro un dépliant relatif au concours que nous organisons du 20 mars au 15 mai 1978.

Le concours porte sur les douze couvertures de grands classiques de la S-F, parus dans J'ai Lu, qui sont reproduites dans le dépliant. Les dessins originaux de dix de ces couvertures (les deux autres étant, malheureusement, irrécupérables) formeront les dix premiers prix du concours.

Les prix suivants seront constitués par 20 jeux électroniques (fonctionnant avec une TV) et 500 disques de musique science-fictionnesque.

La première question paraîtra simple à tous les fans, aussi est-ce la seconde qui départagera les ex-aequo. Il s'agit de classer par ordre de préférence les couvertures reproduites; ensuite un ordinateur avalera toutes les réponses et en tirera la substantifique moelle, c'est-à-dire la liste type.

Vous pouvez vous procurer des cartes-réponses chez votre libraire habituel. Donnez-en à vos amis.

univers (12) de la S-F

In memoriam Opta

Au mois de septembre dernier, les Éditions Opta ont dû déposer leur bilan et licencier leur personnel, jusques et y compris leur directeur littéraire, Michel Demuth. Ainsi s'achève une aventure commencée le 1er janvier 1948 lorsque Maurice Renault publia le n° 1 de *Mystère Magazine*.

Opta existait déjà avant guerre mais il s'agissait alors uniquement d'une agence de publicité, le sigle OPTA signifiant Office de Publicité Technique et Artistique. C'est l'amour du roman policier qui décida Maurice Renault à lui adjoindre une activité d'édition. En fait il s'est toujours agi d'une très petite maison que sa spécialisation et le nombre de ses publications ont toujours fait paraître aux yeux des amateurs plus importante qu'elle n'était.

Pendant des années, Maurice Renault se contenta de publier deux revues : *Mystère Magazine* et *Fiction,* avec l'aide de collaborateurs tels que Jacques Bergier, Igor B. Maslowski et Alain Dorémieux. En 1958, il créa le Club du Livre Policier qui donna une dimension nouvelle aux Éditions Opta. En 1964, Maurice Renault racheta les droits de *Galaxie* dont la précédente édition française avait fait faillite. Avec *Hitchcock Magazine,* précédemment publié, cela portait à quatre le nombre des revues de la maison. C'est cette même année que j'y entrais à mon tour, d'abord pour m'occuper des magazines policiers. Je proposais bientôt la création d'un Club du Livre d'Anticipation, sur le modèle du Club du Livre Policier. Parvenir à décider Renault et ses associés fut un travail d'Hercule et, je crois, mon plus grand titre de gloire dans tout ce que j'ai pu faire pour la science-fiction. Le Club débuta fin 1965, Dorémieux en étant le co-directeur. Nous rééditâmes d'abord la trilogie *Fondation* d'Isaac Asimov et le succès fut immédiat.

L'avenir d'Opta semblait alors assuré lorsque Maurice Renault, qui avait toujours su diriger sa maison avec intelligence et habileté, dut en quitter la direction à la suite d'un changement de majorité des actionnaires. Je ne tardais pas à quitter à mon tour le navire et rejoignis *J'ai Lu*. Le nouveau patron, M. Daniel Domange, était un publicitaire cent pour cent qui ignorait tout de l'édition. Une politique promotionnelle nulle, jointe à la publication de petits ouvrages aberrants, avait déjà grandement entamé l'équilibre financier de la maison lorsque M. Domange mourut accidentellement. Opta fut alors repris en main par un groupe d'éditions provenant de la Société Encyclopédique Française de Philippe Daudy; sa fille, Martine Castaing, prenant la direction effective de la maison. Michel Demuth qui était entré dans la maison en 1966, époque où j'en étais encore le directeur littéraire, avait succédé à Dorémieux, lors de la démission de celui-ci survenue un an après mon propre départ.

Cette dernière période d'Opta est marquée par le déclin des revues et la création de collections de librairie, les unes dignes d'intérêt comme *Antimondes*, les autres ratées comme *Nébula*. Mais il y eut d'autres publications parfaitement absurdes (telle une série que je n'ai jamais vue en vente nulle part et intitulée « O. K. Docteur ») qui achevèrent de compromettre les finances de la maison.

Lorsque Opta était presque seule à publier de la science-fiction, une petite maison spécialisée comme elle pouvait prospérer. Aujourd'hui qu'il existe des collections chez une vingtaine d'éditeurs, il ne lui était plus possible de survivre. Tout ceux qui, comme moi, ont participé de près ou de loin à cette aventure regretteront sa disparition.

Jacques Sadoul

parutions récentes
3ᵉ trimestre 1977

COLLECTIONS

albin michel
LUMLEY Brian

« SUPER FICTION »
LA FUREUR DE CTHULHU

l'aube enclavée
DICK Philip K.

**LE RETOUR
DES EXPLORATEURS (N)**

KLEIN Gérard

**MALAISE DANS
LA SCIENCE-FICTION (E)**

calmann-lévy
LEM Stanislas

« DIMENSIONS »
MÉMOIRES D'IJON TICHY

denoël
ANDREVON Jean-Pierre
ZELAZNY Roger

« PRÉSENCE DU FUTUR »
RETOUR À LA TERRE t. 3 (A)
LA PIERRE DES ÉTOILES

fleuve noir

« ANTICIPATION »

BURGER Chris   LE TEMPS DES AUTRES
CLAUZEL Robert   L'ŒUF D'ANTIMATIÈRE
DARTAL Franck   LES NEUFS DIEUX DE L'ESPACE
DASTIER Dan   AU-DELÀ DES TROUÉES NOIRES
DE FAST Jan   LES ESCLAVES DE THO
GUIEU Jimmy   LES LÉGIONS DE BARTZOUK
JAN Gabriel   LES ROBOTS DE XAAR
LIMAT Maurice   LA TOUR DES NUAGES
PIRET Daniel   LA MORT DES DIEUX
RANDA Peter   LES COULOIRS
    DE LA TRANSLATION
RICHARD-BESSIÈRE F.   CETTE MACHINE EST FOLLE

fleuve noir

« LES LENDEMAINS RETROUVÉS »

CLARKE Arthur C.   PRÉLUDE À L'ESPACE
RICHARD-BESSIÈRE F.   À L'ASSAUT DU CIEL
RICHARD-BESSIÈRE F.   LE RETOUR DU MÉTÉORE
SURAGNE Pierre   LA SEPTIÈME SAISON

humanoïdes associés

« BIBLIOTHÈQUE AÉRIENNE »

VERNE Jules   L'ÉTONNANTE AVENTURE
    DE LA MISSION BARSAC
VERNE Jules   LE VILLAGE AÉRIEN

j'ai lu

BARBET Pierre   L'EMPIRE DE BAPHOMET
BROWN Fredric   PARADOXE PERDU (N)
DELANY Samuel R.   NOVA
DICK Philip K.   AU BOUT DU LABYRINTHE
HARNESS Charles   L'ANNEAU DE RITORNEL
HIGON Albert   LE JOUR DES VOIES

kesselring

                          « ICI & MAINTENANT »
FREMION Yves   OCTOBRE, OCTOBRES (N)

laffont

                          « AILLEURS & DEMAIN »
WERFEL Franz   L'ÉTOILE DE CEUX QUI
                          NE SONT PAS NÉS

livre de poche

MOORCOCK Michael   VOICI L'HOMME
SPINRAD Norman   RÊVE DE FER
STERNBERG Jacques   FUTURS SANS AVENIR (N)

marabout

                          « SCIENCE-FICTION »
CLARKE Arthur C.   LES SABLES DE MARS
MALZBERG Barry N.   SCOP

le masque
HAIGH Alan

« FANTASTIQUE »
LA PORTE DES TÉNÈBRES

le masque
BRACKETT Leigh
CHILSON Robert
HAMILTON Edmond
SPRIGEL Olivier

« SCIENCE-FICTION »
LES CHIENS DE SKAITH
CIMETIÈRE DE RÊVES
L'ARME DE NULLE PART
VÉNUSINE

opta

HODGSON William Hope

« AVENTURES
FANTASTIQUES »
LE PAYS DE LA NUIT

opta
DEMUTH Michel

« FICTION-SPÉCIAL »
TOXICO FUTURIS (A)

presses-pocket

GOIMARD Jacques &
STRAGLIATI Roland

« GRANDE
ANTHOLOGIE
DU FANTASTIQUE »
HISTOIRES DE DOUBLES (A)

presses-pocket
BUDRYS Algys
VAN VOGT Alfred E.

« SCIENCE-FICTION »
LUNE FOURBE (1)
MISSION STELLAIRE

---

(1) Déjà noté dans Univers 05.

recto-verso

GOORDEN Bernard
LEVRERO Mario

« IDES & AUTRES »
AU REVOIR, À HIER! (A)
LABYRINTHES EN EAU
TROUBLE (N)

retz

MEYRINK Gustav

« CHEFS-D'ŒUVRE
DU FANTASTIQUE
ET DE LA S-F »
LE GOLEM

septimus

SPITZ Jacques

L'AGONIE DU GLOBE

seuil

RIVIÈRE François
TEBOUL Jacques

« FICTION & CIE »
FABRIQUES
VERMEER

triangle

BONELLI A. J.
BRUSS B. R.
GUIEU Jimmy
LIMAT Maurice
RICHARD-BESSIÈRE F.
RICHARD-BESSIÈRE F.

LOONA
BIHIL
LES PIONNIERS DE L'ATOME
LA PLANÈTE SANS SOLEIL
MICRO INVASION
PAS DE GONIA
POUR LES GHARKANDES

athanor

BOUVRAIN Claude   NOUVELLES
                          FANTASCRITIQUES (N)

SARAWAK Jean   LES NOUVEAUX BARBARES

denoël

BRADBURY Ray   « RELIRE »
                          LE VIN DE L'ÉTÉ (N)

folio

BARJAVEL René   COLOMB DE LA LUNE

hachette

ASIMOV Isaac   JIM SPARK LE CHASSEUR
                          D'ÉTOILES

VERNE Jules   ROBUR LE CONQUÉRANT
VERNE Jules   20 000 LIEUES SOUS LES MERS
VERNE Jules   LE RAYON VERT/LE TOUR
                          DU MONDE EN 80 JOURS

livre de poche

HARDELLET André   **LE SEUIL DU JARDIN**
                                  LES CHASSEURS/
HARDELLET André   **LES CHASSEURS DEUX (N)**
LEBLANC Maurice   **LE FORMIDABLE ÉVÉNEMENT**

pauvert

SADOUL Jacques   **LE JARDIN DE LA LICORNE**

presses de la cité

LUCAS George   **LA GUERRE DES ÉTOILES**
SCORTIA Thomas &   **L'ENFER ATOMIQUE**
ROBINSON Frank

ruptures

PIVIDAL Raphaël   **PAYS SAGES**

A : Anthologie; *N :* Nouvelles; *E :* Essai.

RECTIFICATIF.

Un oubli à l'impression a fait disparaître, dans *Univers 11,* les carrés ☐ signifiant « ce n'est pas de la S-F » dans le tableau du « Coin des spécialistes ». Il fallait lire pour CRASH ! de Ballard les notes respectives :
- George BARLOW   ☐ **
- Jacques SADOUL   ☐ *

Qu'ils veuillent bien nous excuser, les coupables ont été désintégrés.

le coin
des spécialistes

○ sans intérêt
* médiocre
** moyen
*** bon
**** exceptionnel
⊔ ce n'est pas de la S.F.

AU BOUT DU LABYRINTHE de Philip K. Dick

L'EMPIRE DU BAPHOMET de Pierre Barbet

L'ÉTOILE DE CEUX QUI NE SONT PAS NÉS
de Franz Werfel

FUTURS SANS AVENIR de Jacques Sternberg

LE JARDIN DE LA LICORNE de Jacques Sadoul

LE JOUR DES VOIES d'Albert Higon

MÉMOIRES D'IJON TICHY de Stanislas Lem

MISSION STELLAIRE d'A. E. Van Vogt

NOVA de Samuel Delany

OCTOBRE, OCTOBRES d'Yves Frémion

PARADOXE PERDU de Fredric Brown

LA PIERRE DES ÉTOILES de Roger Zelazny

RETOUR À LA TERRE T. 3 de Jean-Pierre Andrevon

RÊVE DE FER de Norman Spinrad

LE SEUIL DU JARDIN d'André Hardellet

Jacques BERGIER	Bernard BLANC	Igor et Grichka BOGDANOFF	Philippe CURVAL	Michel DEMUTH	Jean-Pierre DIONNET	Jacques GOIMARD	Marianne LECONTE	Juliette RAABE	Joëlle WINTREBERT
○	****	**	***	***	****	***	****	***	***
****	**	**		**	**	**	**		**
○ □	***	***	****		**	***		****	○
○	**	*	**	**	***	***	***	****	****
****		***	*** □	*** □	***		***	** □	** □
****	***	***			**	**		*	***
***	****	**	***		*	***	***	****	***
****	*	**	**	**	**	**			****
***	**	***	*	***	****	**	****	**	****
**	****	***	**	**	**		***	** □	**
***	***		***	**	**	****	****	****	****
○	**			***	***	**	*	*	****
○	****	***	**	**	**	***	****	***	***
**	****	***	*	***	***	****	***	****	****
***	**		*** □	*** □	****	***		**** □	**** □

ÉDITIONS J'AI LU

31, rue de Tournon, 75006-Paris

diffusion
France et étranger : Flammarion - Paris
Suisse : Office du Livre - Fribourg
Canada : Flammarion Ltée - Montréal

IMPRIMÉ EN FRANCE PAR BRODARD ET TAUPIN
7, bd Romain-Rolland -Montrouge.
Usine de La Flèche, le 20-02-1978.
1355-5 - Dépôt légal 1er trimestre 1978.
ISBN : 2 - 277 - 11815 - X